Vide et plein

François Cheng

Vide et plein

Le langage pictural chinois

Éditions du Seuil

ISBN 2-02-012575-7
(ISBN 2-02-005272-5, 1re publication)

© ÉDITIONS DU SEUIL, MAI 1991.

Je voudrais dire ici toute ma gratitude à mon maître Jacques Lacan qui m'a fait redécouvrir Lao-tzu et Shih-t'ao ; à M. Pierre Ryckmans qui m'a autorisé à citer de larges extraits de sa magistrale traduction des Propos sur la peinture *de Shih-t'ao; à M. François Wahl et M. Jean-Luc Giribone dont la lecture exigeante m'a été indispensable; à Mme Nicole Lefèvre, Mme Janine Lescarmontier, M. Daniel Glorel, Mlle Brigitte Demaria et tous ceux qui ont participé à la réalisation de l'être désormais viable qu'est ce livre.*

M. Paul Demiéville avait lu et corrigé le manuscrit de cet ouvrage ; il nous a quittés alors que l'ouvrage était sous presse. Qu'il me soit permis de dédier ce modeste travail à sa mémoire.

Note de l'auteur

A l'occasion de cette nouvelle édition, il nous semble opportun d'apporter quelques précisions sur la conception de cet ouvrage. Comme son titre l'indique, l'ouvrage a visé un but au demeurant modeste, celui d'appréhender la peinture chinoise en tant que langage constitué et d'en saisir les principes de fonctionnement. C'est dire que son approche est avant tout structurale et non historiciste. Nous n'ignorons pas, bien entendu, qu'il existe une histoire de la peinture chinoise (qu'ont abordée inlassablement de nombreux ouvrages d'érudition), que celle-ci a connu des évolutions et que par conséquent tous les faits observés n'avaient pas surgi en même temps. Nous avons tenté pourtant de nous extraire, pour une fois, du souci uniquement chronologique qui consiste à enregistrer la succession des faits et à n'épargner aucun détail. Car, en fin de compte, l'art pictural chinois, né dans un contexte spécifique, a poussé comme un arbre. Plongeant ses racines dans une écriture idéographique (qui, par le truchement de la calligraphie, a privilégié l'usage du pinceau et favorisé la tendance à transformer les éléments de la nature en signes), se référant à une cosmologie définie, cet art a possédé d'emblée ses conditions d'épanouissement, même si certaines « virtualités » ne se sont révélées ou réalisées que plus tardivement. Ceci justifie donc une approche analytique globale ; d'autant que des notions inhérentes à la pensée esthétique chinoise, telles que la combinaison des unités par couples, la distinction des niveaux, etc., se prêtent, comme naturellement, à une analyse structurale. On sait que la pensée esthétique chinoise, fondée sur une conception organiciste de l'univers, propose un art qui tend depuis toujours à recréer un microcosme total où prime l'action unificatrice du Souffle-Esprit, où le Vide même, loin d'être synonyme de flou ou d'arbitraire, est le lieu interne où s'établit le réseau des souffles vitaux. On assiste là à un système qui procède par intégrations des apports successifs plutôt que par ruptures. Et le Trait de Pinceau dont l'art est porté par les peintres à un degré extrême de raffinement, incarnant l'Un et le Multiple dans la mesure où il est identifié au Souffle originel même et à toutes ses métamorphoses, ne contribue pas moins à cette permanence d'une pratique signifiante inlassablement poursuivie.

La peinture, une pensée en action, est ainsi devenue une des expressions les plus hautes de la spiritualité chinoise. Par elle, l'homme chinois a cherché à révéler le mystère de la Création et par là à se créer une authentique manière de vivre. Dans cette optique, peut-être la présente étude porte-t-elle finalement sur quelque chose qui dépasse le simple souci de l'art.

FRANÇOIS CHENG
janvier 1991

Préliminaire

En Chine, de tous les arts, la peinture occupe la place suprême[1]. Elle est l'objet d'une véritable mystique ; car, aux yeux d'un Chinois, c'est bien l'art pictural qui révèle, par excellence, le mystère de l'univers. Par rapport à la poésie, cet autre sommet de la culture chinoise, la peinture, par l'Espace originel qu'elle incarne, par les souffles vitaux qu'elle suscite, semble plus apte encore, non pas tant à décrire les spectacles de la Création, mais à prendre part aux « gestes » mêmes de la Création. En dehors du courant religieux, de tradition avant tout bouddhique, la peinture elle-même était considérée comme une pratique sacrée.

A la base de cette peinture se trouve une philosophie fondamentale qui propose des conceptions précises de la cosmologie, de la destinée humaine et du rapport entre l'homme et l'univers. En tant que mise en pratique de cette philosophie, la peinture représente une manière spécifique de vivre. Elle vise à créer, plus qu'un

1. La primauté de la peinture est affirmée avec force dans tous les traités chinois. Parmi les écrits des historiens d'art occidentaux, citons cette remarque de P. Swann : « Les Chinois considèrent la peinture comme le seul art véritable » et celle de W. Cohn : « De longue date, les Chinois ont considéré l'art pictural comme une des manifestations les plus élevées du génie créateur de l'homme et leur peinture est une somme de leurs conceptions de la vie. »

cadre de représentation, un lieu médiumnique où la vraie vie est possible. En Chine, l'art et l'art de la vie ne font qu'un.

Dans cette optique, la pensée esthétique chinoise envisage le beau toujours en relation avec le vrai. C'est ainsi que, pour juger de la valeur d'une œuvre, la tradition distingue trois degrés d'excellence : le *neng-p'in* «œuvre de talent accompli», le *miao-p'in* «œuvre d'essence merveilleuse», et comme degré suprême, le *shen-p'in* «œuvre d'esprit divin»[1]. Si, pour définir les deux premiers degrés, le *neng-p'in* et le *miao-p'in,* on fait appel à de nombreux qualificatifs qui relèvent parfois de la notion de beauté, en revanche, on n'applique le terme de *shen-p'in* qu'à une œuvre dont la qualité ineffable semble la relier à l'univers d'origine. L'idéal qui anime un artiste chinois, c'est de réaliser le microcosme vital en qui le macrocosme sera à même de fonctionner.

Ce livre se propose de présenter les données essentielles de cette pensée esthétique. Le point de vue et la méthode en sont sémiologiques. C'est dire que nous ne nous contenterons pas de traduire ou de commenter tel ou tel passage des traités théoriques, ni d'énumérer simplement les termes techniques en usage dans l'art de peindre. Car les traités théoriques ont été produits dans un contexte culturel donné ; ils comportent une part implicite qu'il est nécessaire de faire ressortir. De même, les termes techniques ne sont pas des éléments isolés ; ils forment un tout organique, avec ses plans distincts et ses lois de combinaison. Nous aurons souci de montrer les structures internes de ce système de pensée et de cette pratique, ainsi que leurs principes de fonc-

---

1. Il existe encore un degré, « hors catégorie » : le *i-p'in,* « œuvre de génie spontané ». Là aussi, il s'agit d'exalter l'entente innée entre l'homme et la nature.

tionnement. Deux parties composent cet ouvrage. La première est consacrée à la présentation générale : à partir d'une notion centrale – le Vide –, nous montrerons l'organisation de divers concepts qui se relient les uns aux autres et grâce à laquelle l'art pictural acquiert sa signification plénière. Dans la seconde partie, nous observerons l'œuvre – à la fois théorique et pratique – d'un peintre particulier, afin de faire voir le fonctionnement réel de cet art. Plusieurs passages de la seconde partie, venant en quelque sorte confirmer le contenu de la première, n'évitent pas l'écueil de la répétition. Celle-ci, toutefois, nous paraît utile, voire indispensable, dans la mesure où elle nous permet de confronter certains concepts sous des angles différents.

*

Outre son souci théorique, ce livre se donne un but pratique, celui d'aider le lecteur à apprécier la peinture chinoise. Il serait utile de présenter ici les grandes lignes de la peinture chinoise à partir de l'Empire, établi deux siècles avant notre ère. Rappelons d'abord que la longue histoire de l'Empire chinois, suite de dynasties, est l'alternance de périodes d'unification et de périodes de division. C'est ainsi qu'après les dynasties Ts'in et Han (IIe s. av. J.-C. – IIe s. apr. J.-C.) qui firent l'unité de la Chine, vint une période de troubles dus à des conflits internes et à l'invasion des Barbares. Cette période (IVe s. – VIe s.) est celle des dynasties dites du Nord et du Sud, le Nord de la Chine étant occupé par les Barbares qui d'une part embrassent le bouddhisme et d'autre part s'assimilent à la culture chinoise. Il faut attendre la grande dynastie T'ang (VIIe s. – IXe s.) pour voir à nouveau la Chine réunifiée. Après trois siècles d'existence, cette dynastie sombre à son tour dans l'anarchie. Survient une ère de division connue comme les Cinq-Périodes (Xe s.). Cette ère se termine avec l'avènement des Sung (Xe s. – XIIIe s.). Sur le plan culturel, la dynastie des Sung atteint un éclat comparable à celui des T'ang. Mais elle est très tôt minée par les attaques incessantes des tribus de Liao et de Chin qui forcent les Sung à se replier au sud du fleuve Yang-tzu. Après le déclin des Sung, la Chine, trop affaiblie, est incapable de résister à l'invasion foudroyante des Mongols, lesquels fondent en Chine une nouvelle dynastie, celle des Yuan (XIIIe s. – XIVe s.). Aux Yuan succèdent les deux dernières grandes dynasties de l'Empire, celle des Ming (XVe s. – XVIIe s.) et celle des Ts'ing (XVIIe s. – XIXe s.) fondée par les Mandchous qui devaient très vite se siniser.

Tout au long de cette histoire, la peinture connaît un développement continu. Tout en étant conditionnée par les événements, elle suit ses propres lois de transformation. Les périodes de division et de désordre, du fait même des relâchements et des interrogations qu'elles engendrent, n'en sont pas moins propices à la création artistique. Deux courants, qui s'alimentent l'un l'autre, animent cette peinture, le courant religieux, marqué par la peinture née du taoïsme et plus tard du bouddhisme ; et le courant qui, pour être « profane », n'en constitue pas moins, nous l'avons dit, une spiritualité. C'est ce dernier courant, en tant que mise en pratique d'une pensée esthétique originale, qui sera l'objet de notre étude.

Il est généralement admis en effet que le premier grand peintre non anonyme de l'histoire chinoise fut Ku K'ai-chih (345-411), de la dynastie des Chin (265-420). Celui-ci, avec une autorité et une maîtrise technique étonnantes, porta la peinture à sa dignité primordiale où elle demeure depuis. Son avènement, bien entendu, n'était point fortuit ; il était précédé d'une tradition picturale déjà ancienne. D'après les documents écrits et les témoignages matériels, on sait que, tout au long de la dynastie féodale des Chou (1121-256 avant J.-C.), de la période dite des Royaumes-Combattants (453-222 avant J.-C.) et du premier empire des Ts'in et des Han (221 avant J.-C. – 220 après J.-C.), les palais, les temples, ainsi que les tombes royales étaient décorés de somptueuses peintures murales à thèmes religieux ou moraux. Par ailleurs, nous possédons un certain nombre de peintures sur soie et un échantillon important de gravures sur briques qui nous permettent d'appréhender un art original tant par le maniement des traits que par la composition.

Après l'effondrement de la dynastie des Han, l'Empire chinois, divisé et menacé par les Barbares, trouva une paix plus que précaire sous la dynastie des Chin. Cette situation de désordre et de crise suscita d'importants mouvements de pensée. A côté du confucianisme qui connaissait pour un temps le déclin, triomphaient le néo-taoïsme et le bouddhisme nouvellement introduit en Chine. Ces mouvements de pensée, à leur tour, entraînèrent une véritable explosion dans divers domaines de la création artistique : calligraphie, peinture, sculpture, architecture, etc. Pour ce qui est de la peinture, la figure qui domina de haut son époque fut justement Ku K'ai-chih. Il sut cristalliser en sa création les acquis du passé, tout en y intégrant les apports nouveaux, notamment les progrès techniques de la calligraphie et l'imaginaire hardi de l'art bouddhique. Par la synthèse qu'il opéra au sein d'une époque aussi foisonnante et éclatée, Ku préfigura la voie ultérieure de la peinture chinoise où cohabiteront plusieurs courants de pensée, sans cesse s'interpénétrant et se fécondant. Malheureusement, des peintures murales de Ku, rien ne subsiste. On peut seulement deviner la grandeur de son art à travers un projet écrit par lui pour un tableau intitulé : « Note pour la peinture de la Montagne de la Terrasse des Nuages », et deux rouleaux célèbres – d'attribution tardive : « La déesse de la rivière Luo », conservé en Chine, et « Admonition aux dames de la Cour », conservé au British Museum.

Après Ku, durant les dynasties dites du Nord et du Sud (420-589) où la Chine était coupée en deux, et durant la courte dynastie des Sui (589-618), on peut citer quelques peintres marquants : Lu T'anwei, Tsung Ping, Chang Seng-yü, Chan Tzu-ch'ien. Mais nous ne connaissons leurs œuvres que par les écrits des historiens postérieurs, notamment par le *Li-tai ming-hua chi* [« Histoire de la peinture sous les dynasties successives »] de Chang Yen-yuan, des T'ang. On attribue toutefois à Chan Tzu-ch'ien un tableau fameux : « Promenade au printemps », généralement considéré comme la première œuvre « paysagiste » de la peinture chinoise.

Les T'ang (618-907)

C'est avec l'avènement des T'ang que s'ouvre véritablement la période classique. La réunification du pays et la réorganisation de l'État entraînent une prospérité sans précédent. Une extraordinaire effervescence créatrice se manifeste alors dans tous les domaines de l'art : poésie, musique, danse, calligraphie, peinture.

Ce qui marque le style de cette époque, c'est l'alliance de deux exigences apparemment contradictoires : d'une part, un besoin de rigueur que trahit le souci de fixer des critères, de codifier des règles ; d'autre part, une recherche de variété attestée par les multiples tendances qui coexistent, et qui trouvent leurs racines « idéologiques » dans les trois principaux courants de pensée que sont le confucianisme, le taoïsme et le bouddhisme. Contradiction seulement apparente en réalité, car la fixation des critères et la codification des règles, telles qu'on les concevait alors, ne visaient précisément qu'à établir une sorte de bilan récapitulatif de toutes les formes d'expression possibles, que l'artiste était invité à méditer afin d'en orienter la signification en toute liberté, selon les principes d'une création parfaitement consciente.

Si l'on s'en tient au seul point de vue de la technique, les recherches et les progrès réalisés au cours des siècles précédents permettent alors aux peintres d'atteindre à la pleine maturité de leurs moyens. Dans l'art du trait de pinceau, par exemple, qui est à la base de la technique picturale chinoise, l'artiste dispose à présent pour s'exprimer de toute une gamme de traits de types différents, qui portent des noms souvent fort imagés : « tête de rat », « queue de serpent », « clou arraché », « à la petite hache », « chanvre démêlé », etc. Cette liste s'enrichira par la suite de nouvelles nuances, pour atteindre vers la fin des Ming à un raffinement extrême. L'art de la couleur lui aussi évolue de façon décisive. Les harmonies les plus prisées sont le « Vert et Bleu » (ou « Jade et Or »). Mais s'impose aussi dans le même temps la peinture à l'encre de Chine, qui atteint d'emblée, sous l'impulsion du peintre-poète Wang Wei, à une manière aussi efficace que subtile. Les règles de composition, quant à elles, tendent toujours vers plus de rigueur et de complexité, aussi bien dans l'art de la fresque que dans la peinture sur soie.

Correspondant aux trois grands courants de pensée – confucéen, taoïste, bouddhiste – où s'illustre le génie chinois, trois tendances de l'art commencent déjà à se dégager : réaliste, expressionniste, impressionniste. Ce sont elles qui animeront toute l'histoire de la peinture chinoise. La tendance réaliste est marquée dès le départ (début des T'ang) par deux frères : Yen Li-teh et Yen Li-pen (actifs entre 627 et 683), qui excellent dans le genre du portrait édifiant. Un peu plus tard, le grand peintre Li Sseu-hsün (651-716) et son fils Li Chao-tao (act. 670-730) mettront à l'honneur la représentation, à la fois détaillée et grandiose, des paysages. Dans la même lignée réaliste sont encore à situer Ts'ao Pa et Han Kan, spécialistes de la peinture de chevaux, ainsi que Chang Hsün et Chou Fang, célèbres pour leurs tableaux de genre.

Le grand maître de la tendance expressionniste est sans aucun doute Wu Tao-tzu (701-792). Personnage haut en couleur, il s'applique aussi bien à la peinture de personnages (il décora de nombreux temples taoïstes et bouddhiques) qu'au paysage. Usant d'une technique qui procède par larges coups de pinceau donnant des tracés de ligne vigoureux et rythmiques, il est un ardent partisan de l'exécution spontanée et rapide.

Toujours dans la même voie expressionniste, on peut encore citer les noms de Lu Leng-chia, le disciple le plus connu de Wu, ainsi que de Wang Hsia, introducteur de la technique dite de l'« encre éclaboussée », qui ne pouvait jamais peindre, paraît-il, qu'en état de complète ivresse.

C'est faute de mieux que nous nous sommes servi de l'adjectif « impressionniste » pour qualifier la troisième tendance majeure de la peinture des T'ang. Il s'agit en effet de ce style, si spécifique de la peinture chinoise, qui procède par application de traits délicats, parfois fondus, usant d'une encre subtilement graduée, et qui vise d'abord à saisir les tonalités d'un paysage dans leurs infinies nuances, à capter les vibrations secrètes des objets baignés par les invisibles « souffles » dont l'univers est animé. Ce que cherche à traduire cette peinture est en réalité un *état d'âme*, dans la mesure où elle est toujours le résultat d'une longue méditation. Il n'est donc pas étonnant que ce soit Wang Wei (699-759), tout à la fois peintre et poète, mais surtout grand adepte du bouddhisme *Ch'an* [*Zen*], qui ait inauguré cette voie.

Les Cinq-Dynasties (907-960)

L'intense création artistique commencée sous les T'ang sera poursuivie et approfondie sous les Sung. Mais, entre les T'ang et les Sung, un bref interrègne (dit des Cinq-Dynasties) va se révéler décisif pour le développement de la peinture chinoise. C'est en effet durant cette période de division et de luttes sans merci pour le pouvoir (on songe irrésistiblement à l'époque qui suivit l'effondrement des Han), où se succèdent de petites dynasties éphémères, que vécurent quelques-uns des plus grands artistes dont la Chine puisse s'enorgueillir : leurs œuvres, habitées par les visions les plus élevées, seront déterminantes pour la peinture à venir.

En dépit des conditions précaires, souvent tragiques, dans lesquelles ils vivaient – et sans doute à cause d'elles –, ils sauront trouver dans l'art une réponse à leurs plus pressantes interrogations. Exprimant, à travers la représentation de paysages grandioses ou mystiques, le mystère même de l'univers et du désir humain, ils inaugurent la grande tradition du paysage qui deviendra, on le sait, le courant majeur de la peinture chinoise.

Parmi ces maîtres, les uns s'appliquent à fixer les horizons dépouillés du Nord de la Chine ; d'autres, les paysages plus variés, plus luxuriants du Sud. Les meilleurs représentants de la manière « nordiste » sont certainement Ching Hao (act. 905-958) et Kuan T'ung (act. 907-923), qui trouveront d'admirables continuateurs avec Li Ch'eng (act. 960-990), Fan K'uan (act. 990-1030) et, dans une certaine mesure, Kuo Hsi (act. 1020-1075) – ces derniers comptant parmi les plus grands peintres des Sung du Nord. Chez les « sudistes », il faut citer surtout Chü Jan (act. 960-980) et Tung Yuan (act. 932-976), qui s'imposent dès avant le déclin des Sung du Nord.

En dehors du paysage, d'autres genres sont encore à l'honneur. Ainsi la peinture de cour connaît-elle de beaux jours dans les royaumes T'ang du Sud et Shu de l'Ouest. Ces deux régions, de par leur situation géographique excentrique, connaissent alors une paix relative. Plusieurs empereurs, amateurs d'art ou artistes eux-mêmes, y favoriseront la création artistique, fondant des académies de peinture qui serviront de modèles à la fameuse Académie des Sung. Parmi les peintres qui s'y illustrent, on retiendra les noms de Chou Wen-chü et Ku Hung-chung pour la peinture de personnages, et ceux de Hsü Hsi et Huang Ch'üan pour la peinture de fleurs et d'animaux.

Les Sung (960-1279)

Avec les Sung s'ouvre le véritable âge d'or de la peinture chinoise. Succédant aux artistes des T'ang et aux grands maîtres des Cinq-Dynasties, dont nous venons de souligner l'apport décisif, les peintres des Sung vont porter l'art pictural à un degré de raffinement et de perfection jamais atteint. (On pourrait peut-être comparer la richesse unique de cette période à celle du Quattrocento en Italie.)

L'histoire des Sung est marquée par une coupure brutale, consécutive à l'invasion du Nord de la Chine par les tribus Chin venues d'Asie centrale. On la divise donc habituellement en deux périodes : celle des Sung du Nord (960-1127) et celle des Sung du Sud (1127-1279). La première de ces périodes, placée sous le signe de l'unité retrouvée, voit s'affirmer dans tous les domaines un étonnant dynamisme créateur. Les grands courants de la pensée chinoise, si distincts à l'époque des T'ang, s'interpénètrent jusqu'à tendre vers une manière de synthèse (approchée notamment par le néo-confucianisme) : vont s'en dégager une cosmologie et quelques principes fondamentaux, sur lesquels la peinture s'appuiera désormais.

Si au début le style « nordiste » (inauguré, on l'a vu, par Ching Hao et Kuan T'ung) se trouve d'emblée porté à son point de tension extrême par des artistes tels que Fan K'uan ou Kuo Hsi, bientôt c'est l'influence des maîtres « sudistes » – un Chü Jan, un Tung Yuan – qui va s'imposer à l'esprit des peintres : en particulier chez Mi Fu (1051-1107), célèbre également comme calligraphe et comme collectionneur, et surtout chez son fils Mi Yu-jen (1086-1165). Ces deux artistes, par leurs créations, contribuèrent singulièrement à enrichir la peinture chinoise : introducteurs de la technique des « taches superposées » et des « points fondus », ils sauront dans leurs tableaux utiliser avec un rare génie la dynamique du Vide.

L'activité effervescente déployée sous les Sung du Nord ne s'interrompra pas pour autant avec l'invasion des Chin. Un phénomène nouveau va en effet permettre à l'art de préserver dans la tourmente tout à la fois son expression et sa continuité. Ce phénomène, capital, voit le jour avec la création de l'Académie de peinture, dès le début des Sung. Cette Académie, dont le recrutement se faisait par concours, comptera à l'époque des Sung du Nord une soixantaine de membres, et plus de cent sous les Sung du Sud.

Au Nord, l'Académie de Hsüan-ho demeure la plus célèbre : son heure de gloire coïncide avec le règne de l'empereur Hui-tsung, lui-même artiste exceptionnel – mais qui conduira l'Empire vers sa perte en abandonnant les rênes de l'État pour se consacrer exclusivement à l'art. Au Sud, la plus fameuse Académie sera celle de Shao-hsing, sous le règne de l'empereur Kao-tsung.

L'institution de l'Académie aura pour premier mérite de protéger la création artistique, jusque-là fortement menacée par les tribulations de l'histoire. Mais surtout elle va permettre aux peintres d'approfondir à loisir les techniques léguées par les Anciens et d'élargir considérablement le champ thématique de leur inspiration, en proposant des catégories de spécialisation aussi variées que possible, portant chacune sur un sujet bien délimité : Personnages, Palais et Édifices, Tribus étrangères, Dragons et Poissons, Montagnes et Eaux, Animaux domestiques et Bêtes sauvages, Fleurs et Oiseaux, Bambous et Pins, Légumes et Fruits, etc. Autre innovation : les artistes désormais vont se trouver recrutés dans la Chine entière, ce qui permettra une confrontation enrichissante pour tous.

Nombreux sont, sous les Sung du Nord, les peintres de l'Académie dont les noms méritent d'être retenus : Chao Po-chü, Kuo Hsi, Huang Chü-ts'ai, Wang Ning, Kao Wen-chin, Yen Wen-kui, Kao K'e-ming, Ts'ui Po, Ma Pen, Ch'en Yao-ch'en. Lorsque, au lendemain de l'invasion des Chin, l'Académie doit être transférée vers le Sud, c'est tout un cortège de peintres de grande

valeur qui émigrera : Li Ti, Hsiao Chao, Li T'ang, Li
Tuan, Su Han-ch'en.

Une place particulière doit être faite à Li T'ang
(1050-1131) qui, grâce à la puissance de son art, servie
par une maîtrise technique incomparable, pourra jouer
le rôle indispensable de trait d'union entre les deux
périodes. Sa manière influencera fortement et durable-
ment le style des Sung du Sud.

Sa technique du trait de pinceau, dit « à la grande
hache » (qui dérive du trait « à la petite hache » inventé
par Li Szu-hsün sous les T'ang), sera reprise par les
deux plus grands peintres de la fin des Sung : Ma Yuan
(act. 1172-1214) et Hsia Kuei (act. 1190-1225).

Ceux-ci, bien que tard venus, n'en renouvelleront pas
moins radicalement la peinture de l'époque. Ainsi
excellent-ils à créer une atmosphère de romantisme
mystique au sein de laquelle ils introduisent des figures
dessinées à larges traits rigoureux et angulaires, et qui
ont une singulière force de présence. Mais surtout,
poussant à l'extrême l'effort de certains peintres du Sud
pour se dégager de la composition trop ordonnée pratiquée par leurs prédécesseurs, Ma et Hsia inventent une
sorte de perspective *décentrée* où, mettant l'accent sur
un coin donné du paysage, ils incitent d'autant plus effi-
cacement le regard imaginaire du spectateur à se porter
vers quelque chose d'informulé et de nostalgique qui,
bien qu'apparemment invisible, devient désormais le
véritable « sujet » de l'œuvre. On peut bien sûr se
demander si cet « excentrisme » n'est pas lié aussi, dans
une certaine mesure, à la situation géographique qui
était la leur : la Chine avait perdu une grande partie de
ses territoires, et les peintres ne pouvaient pas ne pas
ressentir profondément, comme tous les Chinois de
l'époque, le drame d'être séparés à jamais de l'unité
rêvée... Toujours est-il que ce style de représentation si

particulier vaudra à nos deux artistes les sobriquets respectifs de « Ma-le-Coin » et « Hsia-la-Moitié ».

Ces deux figures ne doivent pourtant pas éclipser celles des autres peintres qui s'illustreront dans le cadre de l'Académie sous les Sung du Sud : Liu Sung-nien, les frères Yen Ts'eu-p'ing et Yen Ts'eu-yü, Ma Lin (qui est le fils de Ma Yuan), Li Sung, Liang K'ai, Chu Huaiching – sans compter une foule d'anonymes qui nous ont laissé eux aussi des œuvres de très haute qualité.

La peinture de l'Académie n'est pas uniforme. En son sein coexistent toujours les trois tendances qui depuis les T'ang orientent l'art chinois. D'une façon générale, pourtant, le style de l'Académie se caractérise par le souci de la Norme, la rigueur technique et la spécialisation dans les genres. Mais la peinture de l'Académie ne représente pas toute la peinture des Sung. Il existait en effet une relation dialectique, extrêmement féconde, entre les peintres de l'Académie et ceux qui n'en étaient pas – et qui cherchaient justement à se démarquer d'elle. Ainsi, parmi les grands peintres des Sung du Nord mentionnés plus haut, Fan K'uan et Mi Fu travaillèrent-ils en dehors de l'Académie, ce qui leur permit sans doute de mener une recherche tout à fait personnelle, laquelle donna des résultats éclatants. A leurs noms on peut ajouter celui de Li Kung-lin (1040-1106), le célèbre peintre de personnages et de chevaux.

Autre fait à noter, plus significatif encore et qui aura des conséquences décisives : la naissance – en marge de l'Académie – d'une peinture pratiquée par les lettrés, donc par des peintres non professionnels. Ces artistes, en général d'excellents calligraphes, abordent avec beaucoup de facilité certains genres, notamment les sujets rangés sous l'étiquette « Plantes et Fleurs » (bambous, orchidées, fleurs de prunus, etc.) – dans la mesure où la technique requise dans ce domaine recourt à un type de coups de pinceau qui est souvent proche de l'écriture. Leur propos initial n'était pas de faire du « grand art », mais d'exprimer, par le truchement de figures empruntées à la nature, un état d'âme, une disposition d'esprit, et finalement une manière d'être. Su Tung-po (1036-1101), le premier et le plus illustre d'entre eux, ne disait-il pas : « Mes bambous ne comportent pas de sections, qu'y a-t-il d'étrange à cela ? Ce sont des bambous nés de mon cœur, et non de ces bambous que les yeux se contentent de regarder du dehors. » C'est d'ailleurs lui qui, à propos d'un tableau de son ami Wen T'ung, l'autre grand peintre de bambous, avait eu la fameuse phrase : « Avant de peindre un bambou, il faut qu'il pousse d'abord dans ton for intérieur. » Lui et quelques autres, dont Huang T'ing-chien et Mi Fu, consacreront enfin cette pratique si spécifique de la peinture chinoise : inscrire des poèmes dans l'espace blanc du tableau. Une telle pratique visait à l'origine à métamorphoser la peinture en un art en quelque sorte plus *complet,* où se combinent qualité plastique de l'image et qualité musicale des vers, c'est-à-dire, plus en profondeur, dimension spatiale et dimension temporelle.

Cette peinture de lettrés sera essentiellement assurée, sous les Sung du Sud, par Cheng Sseu-hsiao, Chao Meng-chien et Yang Wu-chiu – qui se spécialiseront respectivement dans la peinture des orchidées, des narcisses et des prunus. En fait, il faudra attendre la dynastie suivante pour que cette forme d'art si particulière devienne à son tour un courant dominant.

Les Yuan (1266-1367)

La dynastie des Sung devait s'effondrer devant l'attaque foudroyante des Mongols. Ceux-ci fonderont en Chine une nouvelle dynastie : celle des Yuan, qui durera environ un siècle. Les nouveaux maîtres du pays, par méfiance et par discrimination, vont d'abord exercer une répression sans merci puis une censure très sévère à l'égard du peuple en général, et plus particulièrement de la classe des lettrés. On aurait pu supposer que, en raison de la rigueur de cette censure, la création artistique allait connaître un déclin. Il n'en fut rien. Avec le théâtre populaire, la peinture sera même l'expression majeure de cette époque. Ne traitant pas de sujets ayant rapport direct avec la réalité politique, elle n'offrait guère de prise à la critique des censeurs. Enfin et surtout, la plupart des peintres travaillent alors en dehors du circuit officiel ; certains même choisissent la vie d'ermite.

Les plus célèbres d'entre eux (les « Quatre Grands Maîtres des Yuan ») sont Huang Kung-wang (1269-1354), Wu Chen (1280-1354), Ni Tsan (1301-1374) et Wang Meng (1308-1385). Tous quatre appartiennent à la deuxième génération des peintres des Yuan, et ils habitent généralement les provinces du Sud : le Chiang-su et le Che-chiang. Ils se fréquentaient : il leur arriva même de collaborer. Ils sont pourtant si différents dans leurs styles qu'il paraît à peu près impossible de les confondre. Huang Kung-wang s'affirme surtout par sa vision souveraine et équilibrée, exact reflet de sa personnalité. Son célèbre tableau intitulé « Mon séjour au mont Fu-ch'un », tout de lumineuse sérénité, est sans doute la meilleure illustration de sa manière. Wu Chen, lui, de caractère farouche, aimait par-dessus tout la compagnie des moines. Son style de vie simple transparaît dans sa peinture, qui frappe par son aspect direct et abrupt, non exempt d'une pure saveur. Ni Tsan, adepte du taoïsme (comme Huang Kung-wang d'ailleurs), recherche d'abord le dépouillement, qu'il traduit en s'appliquant à ne représenter les éléments de la nature que sous des formes épurées à l'extrême, dessinées en traits volontairement « insipides ». Quant à Wang Meng, il enrichit la peinture du temps d'une œuvre singulièrement puissante ; usant d'un type de trait de son invention, le fameux « poils de bœuf », tout à la fois sinueux et serré, il crée des paysages dynamiques et comme mus par un constant frémissement (sa peinture rappelle parfois celle du Van Gogh des dernières années).

Il n'en demeure pas moins que, en dépit de ces différences de style, bien des traits significatifs unissent ces quatre peintres. Tous étaient des lettrés accomplis (c'est-à-dire à la fois peintres, calligraphes et poètes). Leurs œuvres d'ailleurs s'ornent de nombreux poèmes : ils contribueront ainsi à établir définitivement la tradition de cette peinture des lettrés inaugurée sous les Sung par un Su Tung-po, un Wen T'ung ou un Mi Fu. Mais c'est surtout sur le plan technique que leur apport est inestimable. De la peinture des Sung, ils renient l'héritage trop proche laissé par les peintres du Sud, tentant plutôt de rejoindre l'art des maîtres des Cinq-Dynasties (Tung Yuan, Chü Jan) ou des Sung du Nord (Fan K'uan, Kuo Hsi, Mi Fu), en y ajoutant toutefois quelque chose de plus spontané, de plus libre, notamment dans le mouvement du pinceau et dans le travail de l'encre. On les voit ainsi ouvrir de nouvelles possibilités à ces deux éléments indissociables de la pratique picturale chinoise, s'efforçant d'en tirer à la fois saveur et « résonance ». Dans un tableau, le moindre point, le moindre trait, la moindre tache d'encre, diluée ou concentrée, est l'occasion pour eux d'imprimer de façon sensible la vibration même de leur âme. En sorte que le tableau ne s'apprécie plus seulement pour ses qualités d'ensemble, mais peut se goûter jusque dans ses plus infimes détails.

Il faut tout de même insister sur le fait que ces quatre peintres, qui d'une certaine façon résument à eux seuls l'art des Yuan, n'auraient pu atteindre à une telle maîtrise s'ils n'avaient été précédés par quelques audacieux qui leur avaient ouvert la voie : au premier rang desquels l'incomparable Chao Meng-fu (1254-1322). Celui-ci avait étudié la peinture auprès de Ch'ien Hsüan (vers 1235-1301), autre grand peintre réaliste du début des Yuan, dont le style minutieux et précis devait grandement l'influencer. Extrêmement doué, Chao excellera dans tous les genres. Et, comme il devait occuper un haut rang dans le gouvernement des Mongols, ce sera lui qui donnera véritablement le « ton » de l'époque. Calligraphe exceptionnel, il saura introduire dans sa peinture ce jeu subtil du pinceau dont les « Quatre Maîtres » tireront le profit que l'on sait. A ses côtés, un autre artiste, Kao K'e-kung, grand paysagiste, de technique classique mais de vision tout à fait personnelle, contribuera également à assurer le passage de la peinture des Sung à celle des Yuan. D'autres peintres à leur suite méritent encore d'être signalés : T'ang Li, Ts'ao Chih-po, Fang Ts'ung-i, Sheng Mou, qui s'imposent, chacun à sa façon, dans le même esprit d'épanouissement et de liberté.

Les Ming (1368-1644)

Après avoir renversé l'ordre mongol, le chef du soulèvement de 1368, Chu Yuan-chang, allait fonder à son tour une nouvelle dynastie, celle des Ming, avec un pouvoir fortement centralisé et autocratique. L'État rétablit bientôt, dans une forme un peu différente, l'Académie supprimée sous les Yuan. Mais, en raison du contrôle étroit du pouvoir sur toutes les formes possibles de création, et malgré la présence de nombreux artistes de réel talent, la peinture ne pourra jamais retrouver le dynamisme foisonnant qui avait fait la gloire de l'Académie des Sung. Son incapacité à susciter par ailleurs une création « ouverte » contribuera finalement à entraîner l'art pictural chinois (au moins pour partie) vers un « académisme » souvent décevant, qui se fait jour dès la fin des Ming.

L'époque cependant est loin d'être négligeable. Elle favorisera même l'éclosion de quelques talents de toute première grandeur qui, sans s'illustrer dans l'invention de formes nouvelles, n'en magnifieront pas moins l'héritage laissé par les Anciens.

Les provinces maritimes du Sud, le Chiang-su et le Che-chiang, qui s'ouvrent vers cette époque sur le monde extérieur, connaissent alors une expansion économique sans précédent. Ces deux régions seront, tout au long du règne des Ming, les foyers d'une activité culturelle intense. Deux écoles de peinture ne tardent pas à s'y affronter : l'école de Che (au Che-chiang) et l'école de Wu (dans le Chiang-su). Chronologiquement, l'école de Wu suit celle de Che et tient visiblement à s'en démarquer. Cette double relation de succession et de rivalité a son importance : elle maintiendra ouvert le champ de recherche durant plus d'un demi-siècle.

Si Tai Chin (première moitié du XVe siècle) s'impose bientôt comme le chef incontesté de l'école de Che, c'est sans l'avoir cherché. Peintre de cour vénéré, il s'était retiré à Hang-chou, son pays natal, à la suite d'intrigues dont il avait eu à souffrir. Il continuera à peindre dans sa retraite, mais mourra pauvre et méconnu. Assurément influencée par ce destin qui lui avait fait connaître des mondes si opposés, sa peinture suit, elle aussi, deux styles fort différents : l'un, « académique », qui dérive de celui de Ma Yuan et de Hsia Kuei des Sung du Sud ; l'autre, plus personnel, qui le rapproche de Wu Chen, l'un des « Quatre Maîtres » des Yuan. Excellent dans l'un comme dans l'autre, il laissera des œuvres d'une qualité si rare qu'elles finiront par s'imposer à ses successeurs comme les modèles d'une nouvelle voie. Dans son sillage, Wu Wei (1459-1508), son compatriote, qui faisait également partie de l'Académie, finira d'installer la réputation de l'école de Che, livrant à l'admiration de ses contemporains une œuvre pleine de force, qui allie à sa façon les deux qualités déjà constatées chez Tai Chin : rigueur académique et inspiration personnelle. Ces deux chefs d'école auront de nombreux imitateurs, le plus connu demeurant sans doute Lan Ying (1585-1657).

Vers la fin du XVe siècle cependant, dans la province de Chiang-su, autour de la ville de Su-chou, centre de commerce et de culture particulièrement prospère, une autre école avait vu le jour, illustrée dès l'abord par des peintres issus de familles lettrées. Par réaction contre celle de Che, cette école de Wu se propose de renouer avec la tradition de la peinture « littéraire » des Yuan. Deux peintres assurent d'emblée son rayonnement : Shen Chou (1427-1509) et son disciple Wen Cheng-ming (1470-1559). Tous deux ayant vécu fort âgés, leurs noms domineront par force le monde de l'art plusieurs décennies durant. Leurs œuvres, tout empreintes d'équilibre et d'harmonie, fidèles à des principes éthiques et esthétiques parfaitement rigoureux, n'en sont pas moins traversées de temps à autre par de brusques signes de violence : à l'image d'une société qui, ayant atteint un degré extrême de raffinement mais se sachant secrètement menacée à l'intérieur et à l'extérieur par des forces dissolvantes, s'interroge avec inquiétude sur son propre destin. Deux autres grands peintres à leur suite, Lu Chih (1496-1576) et Ch'en Shun (1483-1544), s'engageront dans la même voie : le dernier surtout, qui par son étonnante maîtrise de l'encre rejoint à sa façon l'art si spontané d'un Mi Fu des Sung, apportant par là une fraîcheur salutaire à la production de l'époque.

En marge de ces deux écoles, une troisième tendance regroupe un certain nombre de peintres dits « de style académique ». (A noter que, en Chine, ce qualificatif renvoie toujours au style de l'Académie des Sung.) Trois noms dominent ce courant : Chou Ch'en (actif au début du XVIᵉ siècle) et ses deux disciples T'ang Yin (1470-1523) et Ch'iu Ying (vers 1510-1551). Aucun des trois n'appartient à l'Académie ; chacun d'eux cependant s'applique à renouer avec le grand style des T'ang et des Sung. A la différence des lettrés de l'école de Wu, ils sont souvent d'origine modeste : Ch'iu Ying était un simple artisan ; T'ang Yin, grâce à son intelligence précoce, pourra faire des études et se fera admettre dans les cercles cultivés, mais, à la suite d'une faute commise lors d'un examen, il se retrouvera exclu des cadres officiels et s'abandonnera à une vie dissipée qui défraiera la chronique de l'époque. Ne pouvant prétendre à la culture de leurs collègues rivaux, ces artistes chercheront à s'affirmer par la virtuosité de leur technique, par la composition savamment harmonieuse et équilibrée de leurs œuvres (où rien ne se trouve laissé au hasard) et par la qualité de leur exécution, poussée dans chaque détail jusqu'au dernier raffinement. Fort éclectiques dans leurs choix, ils laisseront d'authentiques chefs-d'œuvre dans les domaines les plus divers : paysages réalistes ou imaginaires, scènes de la vie de cour de

l'ancien temps, portraits de courtisanes, récits mythiques, arbres et fleurs, etc.

Après eux, l'époque sera dominée par la figure enva-
hissante de Tung Ch'i-ch'ang (1555-1636). Issu de
l'école de Wu, c'est un artiste de grand talent mais
d'esprit formaliste. Occupant un poste officiel de haut
rang et se complaisant dans les discussions théoriques, il
contribuera largement, par ses conceptions schéma-
tiques, à orienter la peinture de son temps vers une
sorte d'académisme compassé où tout bientôt se trou-
vera posé en termes de recettes et de règles.

L'uniformité prêchée par Tung, qui se fait souvent
sentir dans la production de cette fin de dynastie, est
heureusement rompue par les créations originales de
quelques « marginaux » : Hsu Wei (1521-1593) et Ch'en
Hung-shou (1599-1652) en particulier, qui tous deux
influenceront la peinture de la dynastie suivante. Hsu
Wei est l'un des rares artistes chinois attesté comme
« fou ». Extrêmement doué, d'une sensibilité constamment à vif, il perdra son équilibre mental vers la quaran-
taine, après plusieurs deuils cruels et une série d'échecs
aux examens officiels. Il continuera pourtant à peindre
et à calligraphier pendant les nombreuses années qui lui
resteront à vivre, donnant des œuvres d'un caractère
nettement expressionniste, qui dégagent une force singulière. Ch'en Hung-shou, surtout connu comme
peintre de personnages, cultivera délibérément lui aussi
l'étrange et le saugrenu. Mettant sa parfaite maîtrise
technique (qui l'apparente aux meilleurs portraitistes
des T'ang et des Sung) au service d'un style parfaitement personnel, il n'hésite pas à déformer les figures
pour en accentuer l'expressivité. Ce qu'il cherche à
exprimer à travers les personnages qui retiennent son
attention n'est pas une quelconque ressemblance, qui se
fonderait sur un ensemble de détails exacts, mais bien

une manière d'être qui ne revendique rien d'autre que la liberté.

Les Ts'ing (1644-1911)

L'académisme dans lequel s'enlisaient cependant nombre d'artistes aurait pu porter un coup fatal à l'aventure de la peinture chinoise. Mais l'époque, on vient de le voir, est également propice à l'épanouissement de quelques génies indépendants : ce sont eux qui ouvriront la voie à toute une lignée de peintres étonnants, farouchement individualistes, lesquels pareront d'un éclat inattendu cette ultime dynastie chinoise qui s'ouvre en 1644 lorsque monte sur le trône un empereur mandchou. Expressionnistes convaincus, poussant parfois l'originalité jusqu'à l'extravagance (la plupart d'entre eux étaient en révolte ouverte contre le nouveau régime), ils sauront s'exprimer avec l'accent du génie : grâce à eux, la peinture des Ts'ing, loin d'être la pâle continuation de celle des Ming, apparaît à nos yeux d'aujourd'hui comme la dernière haute vague d'une tradition déjà plus que millénaire.

Tout comme les Mongols lors de leur arrivée au pouvoir, les Mandchous commencent par exercer une censure impitoyable dans tous les domaines où leur autorité peut se donner libre cours. L'art pictural, on le sait, se trouvait relativement à l'abri des effets de ce despotisme tatillon. Mais, cette fois, les artistes, loin de chercher à éviter les sujets ayant quelque rapport avec la situation politique, sociale ou morale du pays, s'ingénieront à exprimer dans leurs œuvres, sous couvert d'un symbolisme transparent ou par le biais de poèmes inscrits en marge de leurs tableaux, leur volonté résolue de non-compromission, voire de défi.

Les premiers d'entre eux avaient vécu le drame de la chute des Ming. Leur attitude face au nouvel ordre des choses sera de refus, ou à tout le moins de retrait. Qu'on ne s'étonne donc pas si les quatre représentants par excellence de cette nouvelle vague d'artistes, que la tradition désigne comme les « Quatre Éminents Moines-Peintres », ont tous choisi de mener une vie solitaire. Leurs noms : Hung Jen (1610-1663), K'un Ts'an (1612-1693), Chu Ta (1626-1705), Shih-t'ao (1641- après 1710).

Hung Jen était originaire du An-hui. Après avoir vagabondé dans diverses provinces, il se fixe dans un monastère au pied du mont Huang-shan, dans sa province natale. Avec Shih-t'ao et Mei Ch'ing, il contribuera à la renommée de l'école dite du Huang-shan. Prenant modèle sur les grands maîtres des Yuan, il impose pourtant un style très personnel, notamment dans la représentation des rochers, qui trahit son souci de retrouver les formes irréductibles de la nature, tout en affirmant son caractère entier, ennemi de toute compromission.

K'un Ts'an, lui, devait s'engager à trente ans dans la guerre de résistance contre les Mandchous. Dix ans plus tard, sous le nouveau régime, il prend l'habit de moine. On le retrouve ensuite dans divers monastères du Sud de la Chine. Ses paysages, qui rappellent ceux de Wang Meng des Yuan, frappent par leur aspect frémissant et pathétique.

Chu Ta fut sans doute le plus hautain et le plus extravagant de tous. Pour ne pas avoir à composer avec le nouveau régime, il lui arrive de se faire passer pour muet ou pour fou. Ses tableaux, chargés de rochers abrupts, de racines noueuses, sont d'une facture violente, terriblement insolite. S'il lui arrive de représenter des animaux (aigles, hiboux, poissons, rats), il leur confère une attitude étrange, parfois désinvolte, parfois franchement agressive. Sa manière unique, qui procède par succession de traits fulgurants, en fait l'un des peintres les plus originaux, les plus « inimitables » de la peinture chinoise.

Shih-t'ao enfin, qui avait tous les dons, est une personnalité complexe. Son enfance tragique est marquée par la quête douloureuse d'une identité dont on cherche à le priver : son père, de la lignée royale des Ming, est assassiné après la mort du dernier empereur par des membres de sa propre famille qui se livrent à une lutte fratricide pour le pouvoir. Shih-t'ao, alors âgé de trois ans, ne devra sa vie qu'à la vigilance d'un serviteur qui le confie à un monastère. Mais l'éclat de son talent, son succès trop rapide, vont l'amener bientôt à faire acte d'allégeance auprès des nouveaux maîtres. Attiré vers le monde, il a le plus grand mal à se plier à la règle monastique qu'il a choisie. Esprit paradoxal, perpétuellement tiraillé par des forces contraires : tel va-t-il se révéler dans son œuvre, aussi variée que féconde, placée toute sous le signe d'une incessante interrogation ; tel enfin apparaît-il dans ses *Propos sur la peinture,* l'un des textes théoriques les plus importants de la pensée esthétique chinoise.

Contemporain des quatre « Moines-Peintres », un autre inclassable, Kung Hsien (1599-1689), forte personnalité lui aussi, marque de son empreinte singulière toute la peinture du temps. Il passe la majeure partie de sa vie dans la région de Nankin, où il participe activement au mouvement patriotique dirigé contre les Mandchous. Une fois le nouveau régime en place, il choisira de se retirer dans la solitude du mont Ch'ing-liang, partageant son temps entre la peinture et l'enseignement – sans d'ailleurs cesser tout à fait d'intervenir dans les affaires du monde. Ses paysages, chargés d'une encre épaisse, comme menacés par l'orage, dont tout ici indique l'imminence, sont à l'image de son caractère, à la fois ardent et ombrageux, qui le poussera sa vie durant à embrasser toutes les causes justes.

L'attitude de ces « aînés » ne manquera pas d'avoir des répercussions sur celle de leurs successeurs directs, dont les plus fameux sont ordinairement réunis, eux aussi, sous une appellation collective. Ce sont les « Huit Excentriques de Yang-chou » : Cheng Hsieh (1693-1765), Chin Nung (1687-1763), Luo Pin (1733-1799), Li Fang-ying (1695-1755), Wang Shih-shen (1686-1759), Kao Hsiang (1688-1753), Huang Shen (1687-1766) et Li Shan (1692-1762). Chacun à sa manière exalte la technique expressionniste désormais à l'honneur, en la portant s'il se peut à un degré de désinvolture ou de non-conformisme plus affirmé encore. L'un d'eux émerge incontestablement du groupe : il s'agit de Cheng Hsieh, qui offre en ce milieu du XVIIIe siècle l'un des derniers exemples de ce que dut être un « lettré accompli » – au meilleur sens de la formule. A la fois homme de pensée et homme d'action, il exerce avec zèle les fonctions de préfet de province (après avoir passé avec succès les examens officiels), tout en exprimant dans ses lettres et dans ses poèmes des idées politiques et sociales fondées sur un humanisme généreux et exigeant. Tour à tour engagé (il fait condamner délibérément les riches, au mépris d'une loi injuste, et veille courageusement aux intérêts du peuple sinistré) et dégagé (il s'adonne à son art de peintre et de calligraphe avec une exemplaire liberté d'esprit), il saura mettre à égale contribution un sens critique aigu et un tempérament naturellement porté à l'extravagance, qui défie toutes les conventions. Son œuvre en tout cas nous rappelle qu'à tous les stades de la tradition picturale chinoise se fait jour un courant de pensée qui, d'une manière ou d'une autre, refuse de considérer l'art comme une fuite devant la réalité ou comme le fruit d'une recherche purement esthétique, préférant voir dans le geste de l'artiste une forme concrète d'accomplissement pour l'homme.

Le courant expressionniste, si caractéristique de l'art des Ts'ing, sera encore illustré au long du XIXᵉ siècle et jusqu'à nos jours par des artistes de grand talent – pour ne citer que trois d'entre eux : Jen Po-nien (1839-1895), Wu Ch'ang-shih (1844-1927) et Ch'i Pai-shih (1863-1957).

Un autre courant, dans le même temps, s'appliquait à défendre avec patience la tradition héritée des Anciens. Il avait connu son heure de gloire au XVIIᵉ et au XVIIIᵉ siècle avec des hommes tels que Yun Shou-p'ing (1633-1690), Wu Li (1632-1718), et les « Quatre Wang » : Wang Yuan-ch'i (1642-1715), Wang Shih-min (1592-1680), Wang Chien (1598-1677) et Wang Hui (1632-1717). Rompus à toutes les finesses de la technique traditionnelle, ces artistes devaient jouir en leur temps d'un prestige considérable, dans la mesure où ils incarnaient l'Orthodoxie. Leur mérite à dire vrai n'est pas mince : c'est à eux que les peintres d'aujourd'hui doivent d'avoir pu conserver intacts quelques-uns des acquis majeurs du passé. Certains d'ailleurs ne se bornèrent pas à exercer ce rôle de « conservateurs », n'hésitant pas, quand il le fallait, à innover eux aussi dans l'art subtil de la composition.

*

Il existe, dans l'histoire de la peinture chinoise, une tradition qui consiste à relater les faits et gestes des grands peintres afin d'en illustrer le style particulier. Certaines légendes frisent parfois le fantastique, ce qui a pour effet de souligner le rôle, soit sacré soit magique, qu'on accorde à la peinture. Nous en citons quelques-unes parmi les plus célèbres[1] ; c'est une manière également valable, nous semble-t-il, de nous familiariser avec quelques grands peintres et de pénétrer le secret de l'art pictural chinois.

Chuang-tzu, le grand philosophe taoïste du IIIe siècle av. J.-C., relate le fait suivant : Le prince Yuan de Sung ayant manifesté le désir d'avoir un beau tableau, beaucoup de peintres se présentèrent. Après avoir reçu les instructions, tous s'inclinèrent respectueusement et restèrent plantés là, à lécher leurs pinceaux et à broyer leur encre ; ils étaient si nombreux qu'il en restait la moitié dehors. Un peintre arriva après l'heure tout à son aise, sans se presser. Ayant reçu les instructions et salué, il ne resta pas là, mais se retira chez lui. Le prince envoya voir ce qu'il faisait. Il avait, avant de se mettre au travail, enlevé sa veste et, nu jusqu'à la ceinture, s'était installé, les jambes croisées. « Voilà un vrai peintre, dit le prince, c'est celui-là qu'il me faut. »

Chang Seng-yu, des dynasties du Nord et du Sud, peignit sur les murs du temple An-luo de Nankin quatre dragons géants. Ceux-ci étaient dépourvus d'yeux. A ceux qui en demandèrent la raison, le peintre répondit : « Si j'ajoutais les yeux à ces dragons, ils s'envoleraient. » Les gens, incrédules, l'accusèrent d'imposture. Sur leur insistance, le peintre consentit à faire une démonstration. A peine eut-il achevé de dessiner les yeux sur deux des dragons, qu'on entendit un tonnerre assourdissant. Les murs craquèrent, laissant s'échapper les deux dragons dans un vol fulgurant. Lorsque le calme fut revenu, on constata que, sur les murs, il ne restait plus que les deux dragons sans yeux.

Ku K'ai-chih, le célèbre peintre des Chin, tomba amoureux de la jeune fille de la maison voisine. Mais celle-ci

---

1. Elles sont tirées pour la plupart des ouvrages suivants : *Li-tai minghua chi*, de Chang Yan-Yuen, *Tang-ch'ao ming-hua lu, Tu-hua chien-wen chih*, de Kuo Jo-hsü, *Hsüan-ho hua-p'u* et *Hua chien*, de T'ang Hou.

refusa ses avances. De dépit, Ku dessina la jeune fille sur le mur de sa chambre, et planta une aiguille à l'endroit du cœur. La jeune fille tomba malade, victime d'un étrange mal de cœur. Elle ne guérit que lorsque le peintre, cédant à ses supplications, arracha l'aiguille.

Chang Hsiao-shih, des T'ang, revint à la vie après avoir connu la mort. Il excella dès lors dans la représentation des scènes d'enfer. On dit que ce qu'il peignait ne naissait point de son imagination ; c'étaient des témoignages vrais.

Durant l'ère K'ai-yuan, sous les T'ang, le général P'ei venait de perdre sa mère. Il demanda au grand peintre Wu Tao-tzu de peindre, au temple T'ien-ching, des figures de dieux afin que ceux-ci protègent l'âme de la défunte. Wu demanda au général d' « incarner », en une démonstration éclatante, l'image de la puissance des dieux face aux démons. Otant alors son vêtement de deuil, et vêtu d'un habit de combat, le général monta à cheval. Il exécuta, au galop, une danse à l'épée. Son allure superbe et ses gestes au rythme fulgurant stupéfièrent tous ceux qui, par milliers, étaient venus assister à la scène. Inspiré, exalté, le peintre se dévêtit et commença à peindre, irrésistiblement, comme en transes. L'air vibrait à l'unisson de ses coups de pinceau... Lorsque vint le moment d'ajouter l'auréole sur la tête de chaque dieu, le peintre traça, d'un seul geste, un cercle parfait. La foule, subjuguée, explosa en cris d'admiration.

L'empereur Hsüan-tsung eut la nostalgie du paysage de la vallée du fleuve Chia-ling. Il manda dans la région Li Ssu-hsün (le grand paysagiste de tendance réaliste) et Wu Tao-tzu : ceux-ci, à leur retour, devaient en reproduire les scènes sur les murs de son palais Ta-t'ung. Li revint, chargé de documents et de croquis, et mit plusieurs mois à faire le tableau. Wu revint, lui, les mains vides. A l'empereur étonné, il répondit : « Tout est là, dans le cœur. » Se mettant au travail, il exécuta, en quelques jours, un chef-d'œuvre.

A Li Ssu-hsün (dont nous venons de dire qu'il décora le palais Tat'ung) revint également la tâche de peindre les paravents qui s'y trouvaient. Il y représenta des scènes de montagnes et d'eaux qui firent l'admiration de tous. Un jour pourtant, l'empereur se plaignit auprès du peintre : « Les cascades que vous avez peintes font trop de bruit ; elles m'empêchent de dormir ! »

Lu Leng-chia étudia la peinture auprès de Wu Tao-tzu. Il désespérait de pouvoir jamais posséder l'art de son maître. Chargé de faire les fresques du temple Chuang-yen, il tenta d'égaler en excellence celles que Wu avait faites au temple Tsung-chih. Un jour, Wu entra par hasard dans le temple Chuang-yen et vit les fresques de son ancien disciple. Il poussa des cris d'admiration mêlés de frayeur : « Ce peintre était bien inférieur à moi, dans ces fresques, il devient mon égal. Mais il y a épuisé toute son énergie créatrice ! » En effet, Lu mourut peu après.

De même que son contemporain le poète Li Po mourut noyé en cherchant à attraper dans un fleuve le reflet de la lune qu'il avait maintes fois chantée, Wu Tao-tzu, raconte la légende, disparut dans la brume d'un paysage qu'il venait de peindre.

Han Kan, le célèbre peintre de chevaux des T'ang, reçut un soir la visite d'un homme vêtu de rouge qui lui dit : « Je viens de la part des Esprits. Vous êtes prié de dessiner un coursier excellent, dont ils auront besoin. » Han Kan obéit. Il fit le croquis d'un cheval fantastique d'après lequel il peignit le tableau sur une grande feuille de papier ; il la brûla et tendit la cendre au messager. Celui-ci disparut. Quelques années plus tard, Han rencontra un ami vétérinaire qui lui dit avoir soigné un cheval qui frappait par son étrangeté. Lorsque Han vit le cheval, il s'exclama : « Mais c'est celui que j'ai peint ! » Un instant après, le cheval, comme pris de malaise, s'affaissa. Le vétérinaire décela alors un défaut de formation à une des jambes du cheval. Troublé, Han revint chez lui. Il sortit l'ancien croquis et constata avec stupéfaction qu'en effet, à la jambe droite du cheval, le pinceau avait dévié.

Mi Fu, des Sung, lorsqu'il était à Wu-wei, vit un jour un rocher géant d'une extravagante laideur. Ravi, il se vêtit de son costume de cérémonie et se prosterna devant le rocher en l'appelant : cher frère aîné.

Dans son *T'u-hua-chien-wen-chih*, Kuo Ssu relate la manière de peindre de son père Kuo Hsi : « Il avait l'habitude, lorsqu'il allait peindre, de s'asseoir près d'une fenêtre claire. Il mettait en ordre la table, brûlait de l'encens et disposait soigneusement l'encre et les pinceaux devant lui. Ensuite, il se lavait les mains, comme pour recevoir un hôte distingué. Il restait silencieux longuement, afin de calmer son esprit et de rassembler ses pensées. C'est seulement lorsqu'il possédait la vision exacte qu'il commençait à peindre. Il disait souvent sa hantise de se trouver devant sa propre œuvre avec un esprit distrait. »

Wang Mo, le peintre vagabond des T'ang, était connu pour ses ivrogneries. Avant de s'attaquer à une œuvre, il avait l'habitude de boire abondamment. Une fois ivre, il se mettait à peindre « à l'encre éclaboussée ». Riant, chantant, il gesticulait des mains et des pieds. Sous son pinceau magique – il lui arrivait aussi de tremper ses longs cheveux dans l'encre en guise de pinceau – les figures surgissaient, montagnes, arbres, rochers, nuages, les unes éclatantes, les autres éthérées, comme par enchantement, comme si elles étaient une émanation directe de la Création elle-même. Le tableau achevé était toujours d'une vérité si parfaite qu'on n'avait l'impression d'aucune trace d'encre. A la mort du peintre, son cercueil était léger, comme vide ; on dit que son corps s'était transformé en nuage.

Nous voudrions terminer ce Préliminaire en évoquant la figure prestigieuse du peintre-poète Wang Wei, initiateur de la peinture monochrome et fondateur de l'école dite du Sud. Paradoxalement, si sa poésie est bien connue, aucun de ses tableaux, en revanche, ne nous est parvenu. Du fait de l'« absence » même de toute œuvre peinte, ses successeurs n'eurent de cesse qu'ils n'aient tenté de recréer les tableaux de Wang Wei, aux titres toujours évocateurs. Ainsi, par ce qu'il a écrit et par ce que les autres ont imaginé de sa peinture, Wang a créé un espace de rêve, le type même d'espace vers lequel tend la peinture chinoise. Nous donnons ici le texte complet d'une lettre que Wang, de sa retraite, adressa à son ami poète Pei Ti, lettre qui reflète bien une sensibilité toute de simplicité, de sympathie et de vision intérieure :

> En cette fin du douzième mois, le temps demeure clair et agréable. J'eusse pu traverser la montagne pour venir te voir ; mais je me retins, te sachant profondément plongé dans les Classiques. Alors, je me dirigeai vers les collines et me rendis au temple de la Miséricorde. Après un repas frugal en compagnie des moines, je repartis. Au nord de la Source-Noire que je traversai, la lune en se levant éclairait tout le pays. Je montai sur la colline Hua-tzu d'où je pouvais voir l'eau de la rivière Wang-ch'uan onduler au clair de lune. Quelques feux lointains scintillaient à travers les arbres de la forêt. Plus près, au fond des ruelles du village, l'aboiement des chiens résonna comme le hurlement du léopard. Le bruit des villageoises qui moulaient le riz alternait avec le son des cloches. A présent, tout est silencieux ; le jeune domestique est endormi. Assis seul, je me laisse envahir du souvenir de moments délicieux où nous nous promenions la main dans la main, sur les sentiers qui longeaient la rivière, en composant des poèmes. Que vienne le printemps qui fait s'épanouir les plantes sur la montagne ! Les poissons gracieux frétillent dans l'eau et les mouettes s'envolent à tire-d'aile ; les faisans chantent à l'aube au milieu des champs d'émeraude, encore tout brillants de rosée ! Ah, ce temps n'est plus loin ; tu viendras avec moi jouir de ce paysage, n'est-ce pas ? Toi, esprit si élevé, si subtil, tu en saisis la beauté mystérieuse : sinon, je n'aurais pas osé t'ennuyer avec une invitation aussi futile. Je profite du passage d'un transporteur de bois pour t'apporter ce message.

> L'ermite de la montagne
> WANG WEI

PREMIÈRE PARTIE

L'art pictural chinois
à partir de
la notion du Vide

Introduction

Tout au long de notre tentative de dégager les données de base d'une sémiologie chinoise, nous nous « heurtons » sans cesse à une notion centrale, et cependant souvent négligée – négligée parce que centrale –, celle du Vide. Non moins essentiel que le célèbre couple Yin-Yang, le Vide se présente comme un pivot dans le fonctionnement du système de la pensée chinoise. Il est en quelque sorte « incontournable », pour peu que l'on veuille observer la manière dont les Chinois ont conçu l'univers. Outre le contenu philosophico-religieux qu'il implique, il régit par ailleurs le mécanisme de tout un ensemble de pratiques signifiantes : peinture, poésie, musique, théâtre ; et de pratiques relevant du domaine physiologique : la représentation du corps humain, la gymnastique dite t'ai-chi-ch'uan, l'acupuncture, etc. Il n'est pas jusqu'à l'art militaire et l'art culinaire où il ne joue un rôle fondamental.

Car dans l'optique chinoise, le Vide n'est pas, comme on pourrait le supposer, quelque chose de vague ou d'inexistant, mais un élément éminemment dynamique et agissant. Lié à l'idée des souffles vitaux et du principe d'alternance Yin-Yang, il constitue le lieu par excellence où s'opèrent les transformations, où le Plein serait à même d'atteindre la vraie plénitude. C'est lui, en effet, qui, en introduisant dans un système donné discontinuité

et réversibilité, permet aux unités composantes du système de dépasser l'opposition rigide et le développement en sens unique, et offre en même temps la possibilité d'une approche totalisante de l'univers par l'homme.

Si essentielle dans la pensée chinoise, la notion du
Vide n'a pourtant jamais été étudiée de façon systématique pour ce qui est de son application dans les
domaines pratiques. Certes, les textes sont nombreux
où le Vide est constamment mentionné ; mais celui-ci y
est présenté comme une entité naturelle qu'on prenait
rarement la peine de définir. Il en résulte que son statut
et son fonctionnement restent extrêmement mal déter-
minés. Malgré cette lacune, il existe une réelle tradition
implicite à laquelle tous se réfèrent. Pour ne citer que le
domaine artistique : même en dehors d'une connaissance approfondie, un Chinois, qu'il soit artiste ou
simple amateur, accepte intuitivement le Vide comme
étant un principe de base. Prenons, par exemple, les
principales formes que sont la musique, la poésie et la
peinture. Sans entrer dans les détails, on peut dire,
comme approche immédiate, que, dans l'interprétation
musicale, le Vide est traduit par certains rythmes synco-
pés, mais tout avant par le silence. Celui-ci n'y est pas
une mesure mécaniquement calculée ; rompant le développement continu, il crée un espace qui permet aux
sons de se dépasser et d'accéder à une sorte de résonance par-delà les résonances[1]. Dans la poésie, l'introduction du Vide se fait par la suppression de certains
mots grammaticaux, dits justement mots-vides, et par
l'institution, au sein d'un poème, d'une forme originale :
le parallélisme[2]. Ces procédés, par la discontinuité et la

---

1. *Huai-nan-tzu*, chap. I : « Le Sans-forme, c'est l'ancêtre fondateur des êtres, comme le Sans-note est l'ascendant des résonances. »
2. Nous avons étudié ces procédés dans notre ouvrage *L'Écriture
poétique chinoise*.

réversibilité qu'ils engendrent dans la progression linéaire et temporelle du langage, trahissent le désir du poète de créer un rapport ouvert de réciprocité entre le sujet et le monde objectif, de transformer aussi le Temps vécu en Espace vivant (nous développerons ce point dans le chapitre i). C'est toutefois dans la peinture que le Vide se manifeste de la façon la plus visible et la plus complète. Dans certains tableaux des Sung et des Yuan, on constate que le Vide (espace non-peint) occupe jusqu'aux deux tiers de la toile. Devant de tels tableaux, même un spectateur innocent sent confusément que le Vide n'est pas une présence inerte et qu'il est parcouru par des souffles reliant le monde visible à un monde invisible. De plus, à l'intérieur même du monde visible (espace peint), par exemple entre la Montagne et l'Eau qui en constituent les deux pôles, circule encore le Vide représenté par le nuage. Ce dernier, état intermédiaire entre les deux pôles apparemment antinomiques – le nuage est né de la condensation de l'eau; il prend en même temps la forme de la montagne –, entraîne ceux-ci dans un processus de devenir réciproque Montagne⇄Eau. En effet, dans l'optique chinoise, sans le Vide entre elles, Montagne et Eau se trouveraient dans une relation d'opposition rigide, et par là statique, chacune étant, en face de l'autre et de par cette opposition même, confirmée dans son statut défini. Alors qu'avec le Vide médian, le peintre crée l'impression que virtuellement la Montagne peut entrer dans le Vide pour se fondre en vagues et qu'inversement, l'Eau, passant par le Vide, peut s'ériger en Montagne. Ainsi, Montagne et Eau sont perçues non plus comme des éléments partiels, opposés et figés; ils incarnent la loi dynamique du Réel. Toujours dans le domaine pictural, grâce au Vide qui bouleverse la perspective linéaire, on peut encore constater cette relation

de devenir réciproque, d'une part entre l'homme et la
nature à l'intérieur d'un tableau et, d'autre part, entre le
spectateur et le tableau dans son entier.

On ne peut donc manquer d'être frappé par la fonction active du Vide à travers les exemples que nous donnent la musique, la poésie et surtout la peinture. C'est
tout le contraire d'un « no man's land », lequel impli-
querait neutralisation ou compromis ; puisque c'est bien
le Vide qui permet le processus d'intériorisation et de
transformation par lequel toute chose réalise son même
et son autre, et par là, atteint la totalité. En ce sens, la
peinture en Chine est pleinement une philosophie en
action ; elle y est envisagée comme une pratique sacrée,
parce que sa visée n'est rien de moins que l'accomplissement total de l'homme, y compris sa part la plus
inconsciente. Dans son célèbre *Li-tai ming-hua chi,*
Chang Yen-yuan dit : « La peinture parfait la culture,
régit les relations humaines et explore le mystère de
l'univers. Sa valeur égale celle des Six Canons ; et telle
la rotation des saisons, elle règle le rythme de la nature
et de l'homme. » C'est pour cette raison que nous avons
choisi, pour l'étude du Vide, la peinture comme son
domaine d'application. Il est vrai que la dichotomie
Vide/Plein est une notion qui a cours aussi dans les arts
picturaux et plastiques en Occident. Nous aurons souci,
dans la suite de cet article, de souligner la compréhension spécifique du Vide en Chine.

Une philosophie de vie en action. Avant d'aborder le
Vide dans la peinture, cette étude se doit d'en montrer
d'abord le fondement philosophique. Précisons cependant que notre projet n'est pas purement philosophique, mais sémiologique. Cela entraîne, de notre part,
les options suivantes :

1. Plus que comme une notion, le Vide sera envisagé
comme un signe. Signe privilégié, puisque, dans un sys-

tème donné, il est précisément ce par quoi les autres uni-tés se définissent comme signes. C'est dire que nous por-terons l'attention avant tout sur son rôle fonctionnel.

2. L'analyse s'appuie sur les principaux textes théo-riques existants, d'où, pour chaque affirmation, la réfé-rence à de nombreuses citations. Mais le regard d'un sémiologue doit être autre que celui d'un exégète ou d'un philologue. Car cette pensée philosophique prise en charge par la peinture, et cette peinture elle-même en tant que pratique signifiante, se sont créées dans un contexte culturel chargé d'intentions implicites, voire inconscientes. Le travail d'un sémiologue se doit donc de dépasser la tradition explicite, tout en évitant, bien entendu, le danger de l'extrapolation. L'authenticité d'un tel travail est garantie par une analyse interne rigoureusement conduite jusqu'à son terme, en déga-geant les unités constituantes, en distinguant les niveaux d'observation ; c'est alors qu'on pourra saisir les traits pertinents, ainsi que les vrais codes de fonctionnement.

Une telle étude sémiologique, espérons-le, ne pré-sente pas qu'un intérêt académique. Elle devrait servir à faire ressortir certaines données essentielles et perma-nentes d'une culture. Si, à l'origine, le Vide faisait partie d'une conception globale qui était une tentative d'expli-cation tant spirituelle que rationnelle de l'univers, par la suite, en dépit des changements qui ont pu intervenir dans cette conception, le Vide est resté un élément pri-mordial dans la manière dont les Chinois appréhendent le monde objectif. Devenu une « clé » pour la vie pra-tique, ce que le Vide propose n'est plus tant une « expli-cation » (encore que, éprouvé par une expérience multi-millénaire, il soit né d'une intuition fondamentale) qu'une « compréhension », une « entente », et finale-ment une sagesse proposant un art de vivre. Le Vide, en corrélation avec quelques autres notions telles que les souffles vitaux, le Yin-Yang, est sans doute l'affirmation la plus originale, la plus constante aussi, d'une vision de vie dynamique et totalisante que la Chine ait apportée. Il continue et continuera à régir en Chine, outre le domaine artistique, de nombreuses pratiques aussi vitales que l'acupuncture et le t'ai-chi-ch'uan.

1. Le Vide dans la philosophie chinoise

En Chine, l'idée du Vide existe, dès l'origine, dans l'ouvrage initial de la pensée chinoise qu'est le *Livre des Mutations*. Ouvrage déterminant, car les principales écoles de pensée nées à l'époque des Royaumes-Combattants (vᵉ s. – IIIᵉ s. avant notre ère) se sont situées par rapport à lui ou ont subi son influence.

Toutefois, les philosophes qui ont fait du Vide l'élément central de leur système sont ceux de l'école taoïste. L'essentiel de ce système a été formulé par les deux fondateurs de l'école : Lao-tzu et Chuang-tzu (ce dernier vécut vers la fin du IVᵉ siècle avant notre ère). Un peu plus tard, sous les Han, Huai-nan-tzu contribuera puissamment à développer certains aspects de cette pensée. C'est avant tout à leurs écrits, qui constituent le fondement de la doctrine taoïste, que se référeront, par la suite, la plupart des critiques d'art pour l'élaboration de leur théorie esthétique. Cette tradition d'une pensée sur l'art a d'ailleurs commencé sous les Six-Dynasties (IIIᵉ siècle au VIᵉ siècle de notre ère), à l'époque même où dominait le courant néo-taoïste. Les tenants de ce courant, tels que Wang Pi, Hsiang Hsiu, Kuo Hsiang, ou encore Lie-tzu (dont on a recueilli les écrits à cette époque) ont renouvelé la pensée taoïste en mettant l'accent justement sur la notion du Vide.

Cette notion, cependant, n'est pas une exclusivité des taoïstes. D'autres philosophes l'ont intégrée dans leur système en lui accordant plus ou moins d'importance. C'est ainsi qu'on relève des développements sur le Vide chez Hsün-tzu[1] et Kuan-tzu (de tendance confucianiste et légiste), l'un et l'autre contemporains de Chuang-tzu. Plus tard, le Vide deviendra un thème majeur chez les grands maîtres du bouddhisme Ch'an (Zen), sous la dynastie des T'ang (VIIe s. – IXe s.), il sera repris, sous les Sung (Xe s. – XIIIe s.) par les néo-confucianistes dans leur conception cosmologique.

Notre propos n'étant pas d'étudier l'évolution de la pensée du Vide, mais d'en montrer le fondement philosophique dans son application à certains domaines pratiques, nous nous limiterons aux textes des fondateurs du taoïsme (Lao-tzu, Chuang-tzu et, éventuellement, Huai-nan-tzu) dans la mesure où il n'est rien d'essentiel qui n'y soit contenu et où la pensée esthétique ultérieure, nous l'avons dit, s'est presque exclusivement fondée sur eux.

Touchant la réalité du Vide, nous nous proposons d'observer les trois points suivants : la manière dont est conçu le Vide ; le rapport que celui-ci entretient avec le couple Yin-Yang ; les implications du Vide dans la vie de l'homme.

1. LA CONCEPTION DU VIDE

A travers les textes de Lao-tzu et de Chuang-tzu, on ne manque pas de constater une sorte de confusion sur

1. Granet, *La Pensée chinoise*, p. 464 : « Selon Hsün-tzu, le Cœur doit, pour éliminer l'erreur, se maintenir vide, unifié, en état de quiétude. Ce qu'il entend par le Vide du Cœur, ce n'est point le Vide extatique, mais un état d'impartialité... Le jugement doit porter sur l'objet entier ; il n'a de valeur que s'il résulte d'un effort de synthèse de l'esprit. »

le statut du Vide ; celui-ci y est perçu comme appartenant à deux règnes : nouménal et phénoménal[1]. Il est à la fois cet état suprême de l'Origine et l'élément central dans le rouage du monde des choses. Cette double nature du Vide ne paraît point ambiguë selon le point de vue taoïste. Son statut originel garantit en quelque sorte l'efficace de son rôle fonctionnel ; et inversement, ce rôle fonctionnel régissant toutes choses témoigne justement de la réalité du Vide primordial.

Bien que ces deux aspects du Vide interfèrent sans cesse, par souci de clarté nous les examinerons l'un après l'autre.

a) Le Vide participant du nouménal

Le Vide est le fondement même de l'ontologie taoïste. Ce qui *est* avant le Ciel-Terre, c'est le Non-avoir, le Rien, le Vide. Au point de vue de la terminologie, deux termes ont trait à l'idée du Vide : *wu* et *hsü* (par la suite, les bouddhistes privilégieront un troisième terme : *k'ung*). Les deux, étant solidaires, sont parfois confondus. Néanmoins, chacun des deux termes peut être défini par le contraire qu'il appelle. Ainsi *wu*, ayant pour corollaire *you* « Avoir », est généralement traduit, en Occident, par « Non-avoir » ou « Rien » ; tandis que *hsü*, ayant pour corollaire *shih* « Plein », est traduit par « Vide ».

Chez Lao-tzu comme chez Chuang-tzu, si l'Origine de l'univers est le plus souvent désignée par *wu* « le Rien »,

---

1. Cette dichotomie noumène/phénomène, pour inadéquate qu'elle puisse être, nous paraît mieux cerner la pensée chinoise que la dichotomie transcendance/immanence. Par noumène, nous entendons ce qui relève de l'Origine, ce qui est encore indifférencié et virtuel. Par phénomène, nous désignons les aspects concrets de l'univers créé. Les deux, noumène et phénomène, ne sont pas séparés ni en simple opposition ; sans être du même niveau, ils entretiennent des liens organiques.

hsü est employé lorsqu'il s'agit de qualifier l'état originel auquel doit tendre tout être. A partir de l'époque
des Sung, notamment grâce au philosophe Chang Tsai
qui consacra l'expression *t'ai-hsü* « Vide suprême », *hsü*
est devenu le terme consacré pour désigner le Vide.

> *Lao-tzu*[1] (chap. XL)   L'Avoir produit les Dix mille êtres,
> mais l'Avoir est produit par le Rien (*wu*).
>
> *Chuang-tzu* (chap. « Ciel-Terre »)   A l'origine, il y a le
> Rien (*wu*) ; le Rien n'a point de nom. Du Rien est né
> l'Un ; l'Un n'a point de forme.
>
> *Lao-tzu* (chap. XVI)   Parvenu à l'extrême du Vide
> (*hsü*), fermement ancré dans la quiétude. Tandis que les
> Dix mille êtres d'un seul élan éclosent, je suis à contem-
> pler le Retour.
>
> *Chuang-tzu* (chap. « Ciel-Terre »)   Qui atteint à sa vertu
> primitive s'identifie avec l'origine de l'Univers, et par
> elle avec le Vide (*hsü*).
>
> *Chuang-tzu* (chap. « Continence du Cœur »)   Le Tao se
> fixe sur sa racine qui est le Vide.
>
> *Huai-nan-tzu* (chap. « Les lois du Ciel »)   Le Tao a pour
> origine le Vide. Du Vide est né le Cosmos dont émane le
> Souffle vital.

D'après les deux dernières citations, on voit que le
Vide est lié au Tao « la Voie ». Il serait utile de préciser
ici leur relation. Disons, en simplifiant beaucoup, que,
par rapport au Vide, le Tao a un contenu plus général.
Parfois, il représente l'Origine, il est alors confondu

---

1. En Chine, pour désigner l'œuvre complète d'un grand philosophe, à défaut d'un titre particulier, on utilise généralement le nom
même du philosophe. C'est ainsi que l'ouvrage de Chuang-tzu et celui
de Huai-nan-tzu sont respectivement appelés : *Chuang-tzu* et *Huai-
nan-tzu*. Quant à l'ouvrage de Lao-tzu, il est connu sous le titre de
Tao-te-ching (Livre de la Voie et de la Vertu) ; mais selon la tradition
et par commodité, nous l'appelons *Lao-tzu*.

avec le Vide ; parfois, il se présente comme une manifestation de celui-ci ; parfois encore, dans une acception plus large, il englobe aussi tout l'univers créé qui lui est immanent. Lao-tzu, dans les deux passages suivants, a tenté d'ailleurs de « décrire » le Tao comme manifestation du Vide :

> *Lao-tzu* (chap. XXV)   Une chose faite d'un mélange était là avant le Ciel-Terre. Silencieuse, ah oui, illimitée assurément. Reposant sur soi inaltérable, et tournant sans faute sans usure. On peut y voir la Mère de tout ce qui est sous le Ciel. Son nom ne nous est pas connu ; son appellation est la Voie.

> *Lao-tzu* (chap. XIV)   Regardant sans voir on l'appelle Invisible ; écoutant sans entendre on l'appelle Inaudible ; palpant sans atteindre on l'appelle Imperceptible ; voilà trois choses inexplicables qui, confondues, font l'unité. Son haut n'est pas lumineux ; son bas n'est pas ténébreux. Cela serpente indéfiniment indistinctement jusqu'au retour au Non-chose... On le qualifie de Forme de ce qui n'a pas de forme et d'Image de ce qui n'est pas image...

Quant à Chuang-tzu, il enseigne qu'on ne peut concevoir le Tao qu'en fonction du Vide :

> *Chuang-tzu* (chap. « Intelligence voyage dans le Nord ») Sans-Commencement dit : « Le Tao ne peut être entendu ; ce qui s'entend n'est pas lui. Le Tao ne peut être vu ; ce qui se voit n'est pas lui. Le Tao ne peut être énoncé ; ce qui s'énonce n'est pas lui. Qui engendre les formes est sans forme. Le Tao ne doit pas être nommé. » Et il ajouta : « Qui répond à celui qui l'interroge sur le Tao ne connaît pas le Tao ; et le simple fait d'interroger sur le Tao montre qu'on n'a même pas encore entendu parler du Tao. La vérité est que le Tao ne souffre ni questions ni réponses aux questions. Interroger sur le Tao qui ne comporte pas de questions, c'est le considérer

comme une chose finie. Répondre sur le Tao qui ne
contient pas de réponse, c'est le considérer comme une
chose dépourvue d'intériorité. Quiconque répond sur ce
qui n'a pas d'intériorité à qui interroge sur ce qui est fini,
celui-là ne saisit ni l'univers extérieur, ni son origine
intérieure. Il ne traverse pas le mont K'ouen-louen ; il ne
va pas jusqu'au Vide suprême. »

b) Le Vide participant du phénoménal

Après avoir affirmé la primauté du Vide dans l'ontologie taoïste, il convient de souligner l'importance du
rôle joué par le Vide dans les domaines du monde maté-
riel. Si le Tao a pour origine le Vide, il ne fonctionne, en
animant les Dix mille êtres, que par le Vide d'où procèdent le Souffle primordial et les autres souffles vitaux.
Le Vide n'est pas seulement l'état suprême vers lequel
on doit tendre ; conçu comme une substance lui-même,
il se saisit à l'intérieur de toutes choses, au cœur même
de leur substance et de leur mutation.

Le Vide vise la plénitude. C'est lui en effet qui permet à toutes choses « pleines » d'atteindre leur vraie
plénitude. Ainsi, Lao-tzu a pu dire : « La grande plénitude est comme vide ; alors elle est intarissable »
(chap. XLV). Par ailleurs, il dit : « La Voie s'écoule au
Vide médian, c'est son usage. Jamais pourtant elle ne
manque ni ne déborde » (chap. IV).

Dans l'ordre du réel, le Vide a une représentation
concrète : la vallée. Celle-ci est creuse et, dirait-on, vide,
pourtant elle fait pousser et nourrit toutes choses ; et
portant toutes choses en son sein, elle les contient sans
jamais se laisser déborder et tarir.

> *Lao-tzu* (chap. VI)   L'Esprit du Val est à jamais vivant ;
> on parle là de la Femelle mystérieuse. La Femelle mysté-
> rieuse a une Ouverture d'où sortent le Ciel et la Terre.

L'imperceptible jet coule indéfiniment; on y puise sans jamais l'épuiser. (L'Esprit descend dans la Vallée et en remonte, c'est le souffle; Esprit et Vallée se tiennent embrassés, c'est la Vie.)

Lao-tzu (chap. XXVIII) Conscience de coq, contenance de poule, ils étaient la ravine du monde. Ravine du monde, ils maintenaient l'unité de la vertu constante, ils avaient fait le retour à l'enfance. Conscience de blanc, contenance de noir, ils étaient la norme du monde. Norme du monde, ils maintenaient la rectitude de la vertu constante, ils avaient fait le retour au Sans-limite. Conscience de gloire, contenance d'humiliation, ils étaient le déversoir du monde. Déversoir du monde, ils se contentaient de la vertu constante, ils avaient fait le retour au Brut.

Chuang-tzu (chap. « Ciel et Terre ») « Maître, où allez-vous ? » demanda Bourrasque. « A la Grande Vallée », dit Épaisseur Obscure. « Pourquoi ? » « La Grande Vallée est le lieu où l'on verse sans jamais remplir et où l'on puise sans jamais épuiser. »

L'image de la vallée est liée à celle de l'eau. L'eau, comme les souffles, apparemment inconsistante, pénètre partout et anime tout. Partout, le Plein fait le visible de la structure, mais le Vide structure l'usage.

Lao-tzu (chap. LXXVIII) Rien au monde de plus souple de plus faible que l'eau. Mais pour attaquer le fort, qui sera jamais comme l'eau ? Le Vide en elle la rend transformante.

Lao-tzu (chap. XVIII) Ce qu'il y a de plus tendre au monde gagne à la longue sur ce qu'il y a de plus solide. Ce-qui-n'a-pas pénètre ce-qui-n'a-pas-de-vide. Par là, nous apprenons l'avantage du Non-agir.

Sur les prémices contenues dans les deux dernières citations, Lao-tzu et Chuang-tzu font constamment appel aux exemples concrets pour démontrer l'usage du Vide.

Lao-tzu (chap. v)   L'intervalle Ciel-Terre, on dirait un soufflet. Vidé, il reste inépuisable ; actionné, il ne demande qu'à souffler. On parle, on parle, on suppute à l'infini, mieux vaudrait s'en tenir au Centre. (Les Dix mille êtres ne vivent qu'intégrés dans le grand mouvement mû par le Vide qui les traverse. Le creux du Ciel-Terre recueille la vie ; c'est le nœud vital, le centre vivant, le lieu de la formation des influx, des échanges.)

Lao-tzu (chap. xi)   Trente rayons se joignent en un moyeu unique ; ce vide dans le char en permet l'usage. D'une motte de glaise on façonne un vase ; ce vide dans le vase en permet l'usage. On ménage portes et fenêtres pour une pièce ; ce vide dans la pièce en permet l'usage. L'Avoir fait l'avantage, mais le Non-avoir fait l'usage.

Chuang-tzu (chap. « Discours sur l'épée »)   Mon art consiste en ceci : je fais voir mon vide. J'ouvre le combat en attirant mon adversaire par un avantage apparent ; j'attaque le dernier, mais je touche le premier.

Chuang-tzu (chap. « Principe d'hygiène »)   Les jointures des os du bœuf comportent des interstices et le tranchant du couteau (du boucher) n'a pas d'épaisseur. Celui qui sait enfoncer le tranchant très mince dans les interstices manie son couteau avec aisance, parce qu'il opère à travers les vides.

Chuang-tzu (chap. « Ciel et Terre »)   Le Vide est grandeur. Il est tel l'oiseau qui chante spontanément et s'identifie à l'Univers.

2. LE RAPPORT ENTRE LE COUPLE VIDE-PLEIN
ET LE COUPLE YIN-YANG

Avant d'examiner ce rapport, il y a lieu de préciser les données de la cosmologie taoïste. Celle-ci a donné lieu à tant de commentaires et de développements qu'il est hors de question de les résumer ici. Il suffit, pour notre propos, de nous référer au célèbre passage du chapitre XLII du *Lao-tzu,* passage qui contient les principales notions dont nous nous sommes servis jusqu'ici : le Vide, le Tao, le Souffle primordial, les souffles vitaux, le Yin-Yang, les Dix mille êtres, etc. :

> Le Tao d'origine engendre l'Un
> L'Un engendre le Deux
> Le Deux engendre le Trois
> Le Trois produit les dix mille êtres
> Les dix mille êtres s'adossent aux Yin
> Et embrassent le Yang
> L'harmonie naît au souffle du Vide médian

De ce passage, nous pouvons donner, en simplifiant beaucoup, l'explication suivante. Le Tao d'origine est conçu comme le Vide suprême d'où émane l'Un qui n'est autre que le Souffle primordial. Celui-ci engendre le Deux, incarné par les deux souffles vitaux que sont le Yin et le Yang. Le Yang, en tant que force active, et le Yin, en tant que douceur réceptive, par leur interaction, régissent les multiples souffles vitaux dont les Dix mille êtres du monde créé sont animés. Toutefois, entre le Deux et les Dix mille êtres prend place le Trois.

Le Trois, dans l'optique taoïste, représente la combinaison des souffles vitaux Yin et Yang et du Vide médian dont parle la dernière ligne du texte cité. Ce Vide médian, un souffle lui-même, procède du Vide originel dont il tire son pouvoir. Il est nécessaire au fonctionnement harmonieux du couple Yin-Yang : c'est lui qui attire et entraîne les deux souffles vitaux dans le processus du devenir réciproque. Sans lui, le Yin et le Yang se trouveraient dans une relation d'opposition figée ; ils demeureraient des substances statiques, et comme amorphes. C'est bien cette relation ternaire entre le Yin, le Yang et le Vide médian qui donne nais-

sance et sert aussi de modèle aux Dix mille êtres. Car le
Vide médian qui réside au sein du couple Yin-Yang
réside également au cœur de toutes choses ; y insufflant
souffle et vie, il maintient toutes choses en relation avec
le Vide suprême, leur permettant d'accéder à la transformation interne et à l'unité harmonisante. La cosmo-
gonie chinoise se trouve donc dominée par un double
mouvement croisé que l'on peut figurer par deux axes :
un axe vertical qui représente le va-et-vient entre le
Vide et le Plein, le Plein provenant du Vide et le Vide
continuant à agir dans le Plein ; un axe horizontal qui
représente l'interaction, au sein du Plein, des deux
pôles complémentaires Yin et Yang dont procèdent
les Dix mille êtres, y compris bien entendu l'Homme,
microcosme par excellence.

Il y a donc lieu de ne pas confondre les deux couples
Vide-Plein et Yin-Yang. Les figures suivantes du tai-chi
permettent de montrer leur distinction et en même
temps les liens intimes qui les unissent :

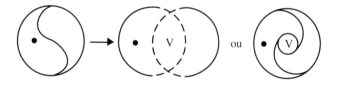

Un système binaire qui serait ternaire ; et un système
ternaire qui serait unitaire (Tao) : 2 = 3, 3 = 1. Tel est le
ressort, apparemment paradoxal, mais constant de la
pensée chinoise[1]. Le Vide n'y apparaît pas comme un

1. *La Pensée chinoise*, Granet, p. 232 : « Un n'est jamais que
l'Entier, et Deux n'est que le Couple. Deux, c'est le Couple caracté-
risé par l'alternance du Yin et du Yang. Et l'Un, l'Entier, c'est le
pivot, qui n'est ni Yin, ni Yang, mais par qui se trouve coordonnée
l'alternance du Yin et du Yang ; c'est le carré central qui ne compte

espace neutre qui servirait seulement à désamorcer le choc sans changer la nature de l'opposition. C'est le point nodal tissé du virtuel et du devenir, où se rencontrent le manque et la plénitude, le même et l'autre. Cette conception s'applique aussi bien aux choses de la nature (par exemple à ce que nous avons dit au sujet de la Montagne-Eau dans la peinture) qu'au corps même de l'homme (notamment à cette vue selon laquelle le corps humain, dominé par le *shen* « Esprit » et le *ching* « Essence » ou par le Cœur et le Ventre, obtient son Harmonie par le Vide médian, régulateur des souffles qui animent ce corps) :

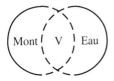 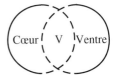

3. LE VIDE DANS LA VIE DE L'HOMME

On sait la place privilégiée accordée à l'homme dans la pensée chinoise. L'Homme, le Ciel et la Terre forment les trois Génies de l'univers. Tout en étant un être spécifique, l'Homme réunit en lui les vertus du Ciel et de la Terre ; il lui appartient, pour son propre accomplissement, de les mener à l'harmonie. Les confucianistes sont plus particulièrement préoccupés du destin

---

pas (comme le moyeu dont les auteurs taoïstes disent que, grâce à son vide, il peut faire tourner la roue)... Tout ensemble Unité et Couple, l'entier, si l'on veut lui donner une expression numérique, se retrouve dans tous les impairs, et d'abord, dans Trois (Un plus Deux). Trois, nous le verrons, vaut comme une expression à peine affaiblie de l'Unanimité. »

humain et de la nature innée de l'homme *(jen-hsing)*.
Par la suite, les bouddhistes se sont beaucoup penchés
sur le problème des désirs humains *(jen-yü)*. Quant aux
taoïstes qui désirent avant tout se conformer au mouvement de la nature et du cosmos, ils parlent du cœur ou
de l'esprit humain *(jen-hsin)*.

Selon la pensée chinoise, et surtout celle des taoïstes,
ce qui garantit d'abord la communion entre l'homme et
l'univers, c'est que l'homme est un être non seulement
de chair et de sang mais aussi de souffles et d'esprits ; en
outre, il possède le Vide.

> *Livre des Rites*   L'Homme est formé de la vertu combi-
> née du Ciel et de la Terre, par la rencontre du Yin et du
> Yang, par la réunion des esprits inférieurs *kui* et des
> esprits supérieurs *shen,* par les souffles les plus subtils
> des Cinq Éléments.
>
> *Huai-nan-tzu*   Les Saints font du Ciel leur père, de la
> Terre leur mère, du Yin et du Yang leur corde maîtresse
> et des Quatre Saisons leur fil conducteur.
>
> *Chuang-tzu* (chap. « Intelligence voyage dans le Nord »)
> L'Homme naît d'une condensation des souffles.
>
> *Chuang-tzu* (chap. « Les choses extérieures »)   Le corps
> de l'Homme a double Vide ; le cœur de l'Homme a sa
> perspective du Ciel.
>
> *Chuang-tzu* (chap. « Se torturer l'esprit »)   Par son Vide
> et sa quiétude, le Saint rejoint la vertu du Ciel.
>
> *Chuang-tzu* (chap. « Ciel et Terre »)   A son achève-
> ment, l'être créé possède un corps organisé. Ce corps
> préserve l'âme. Ame et corps sont soumis à leurs lois
> propres. C'est ce qu'on appelle la nature innée. Qui per-
> fectionne sa nature fait retour à sa vertu originelle. Qui
> atteint à sa vertu originelle s'identifie avec l'Origine de
> l'univers et par elle avec le Vide.

Par le Vide, le cœur de l'Homme peut devenir la règle
ou le miroir de soi-même et du monde, car possédant le

Vide et s'identifiant au Vide originel, l'Homme se trouve à la source des images et des formes. Il saisit le rythme de l'Espace et du Temps ; il maîtrise la loi de la transformation.

> *Lao-tzu* (chap. XXII)   Plier pour rester intègre ; ployer pour rester droit ; se vider pour une plénitude ; se flétrir pour un renouveau. Avec moins on trouve, avec trop on se perd. Les Saints, eux, embrassaient l'Un pour être la règle du monde.

> *Chuang-tzu* (chap. « La Voie du Ciel »)   Qu'il est grand l'esprit du Saint ! Il est le miroir de l'univers et de tous les êtres. Le Vide, la quiétude, le détachement, l'insipidité, le silence, le non-agir sont le niveau de l'équilibre de l'univers, la perfection de la Voie et de la Vertu. C'est pourquoi le Souverain et le Saint demeurent toujours en repos. Ce repos conduit au Vide, le Vide qui est Plénitude, la Plénitude qui est Totalité. Ce Vide confère à l'âme une disponibilité qui fait que toute action accomplie est efficace.

> *Chuang-tzu* (chap. « Le monde des hommes »)   N'écoute pas par tes oreilles, mais par ton esprit ; n'écoute pas par ton esprit, mais par ton souffle. Les oreilles se bornent à écouter ; l'esprit se borne à se représenter. Le souffle qui est le Vide peut seul s'approprier les objets extérieurs. C'est sur le Vide que se fixe le Tao... Du Vide de l'esprit jaillit la lumière ; là se trouve le salut de l'Homme. Celui en qui le salut n'est pas s'appelle un Errant assis. Celui qui convertit l'ouïe et la vue en une compréhension intérieure et qui délaisse l'intelligence et ses connaissances, les mânes et les esprits le visiteront. C'est tout cela qui constitue le secret de la Transformation.

Lorsque le cœur humain devient le miroir de soi-même et du monde, alors seulement commence la véritable possibilité de vivre. C'est ici que nous abordons un problème essentiel : la vie humaine en tant que durée dans son rapport avec le Temps et l'Espace. Ce rapport, une fois de plus, est fondé sur l'affirmation du Vide, lequel opère un constant changement qualificatif au sein de l'Espace-Temps, et par là de la vie humaine elle-même. Voici les passages où Lao-tzu dit, de façon laconique certes, sa pensée concernant ce problème :

> *Lao-tzu* (chap. II)   Les Saints s'acquittent de leurs tâches sans s'y attarder ; ne s'y attardant pas, ils demeurent à jamais.

> *Lao-tzu* (chap. XXX)   Sur-développer, c'est hâter la vieillesse. C'est quitter la Voie. Et quitter la Voie, c'est bientôt périr.

> *Lao-tzu* (chap. XXXIII)   Qui sait se satisfaire (de ce qu'il a) est riche ; qui adhère résolument au Tao s'accomplit. Qui demeure en son gîte vit vieux ; qui meurt sans dépérir a la longue vie.

> *Lao-tzu* (chap. XLIV)   Qui aime avec excès s'épuise, qui amasse gros perdra gros. Content de peu n'a pas à craindre. Qui sait s'arrêter se préservera ; il s'assurera la longue vie.

> *Lao-tzu* (chap. XV)   Ceux qui observaient la Voie refusaient de se laisser emplir. Aussi, n'étant jamais emplis, pouvaient-ils rester, pousses préservées, et échapper à un achèvement prématuré.

> *Lao-tzu* (chap. XXV)   Son nòm ne nous est pas connu, son appellation est la Voie ; à défaut de son nom véritable, on la dénomme Grande. Grande pour dire qu'elle s'écoule, qu'elle s'écoule poussant toujours plus loin et qu'au loin en allée elle finit par opérer le Retour.

> *Lao-tzu* (chap. XVI)   Parvenu à l'extrême du Vide, fermement ancré dans la Quiétude ; tandis que Dix mille êtres d'un seul élan éclosent, moi je suis à contempler le Retour... Connaître le Constant donne l'accès à l'Infini, l'Infini à l'Universel, l'Universel à la Royauté, la Royauté au Ciel, le Ciel à la Voie, la Voie à la Vie qui demeure et la mort ne peut rien contre moi.

Nous notons, à travers ces citations, la préoccupation de Lao-tzu concernant la durée. Pour lui, la durée implique l'adhésion à la Voie ; c'est demeurer pour vivre, c'est vivre sans mourir, ou encore, c'est mourir sans dépérir. Si la vie humaine est un trajet dans le temps, il importe d'opérer, au sein même de ce trajet, ce qu'il appelle le Retour. Le Retour n'est pas envisagé comme une étape qui vient seulement « après » ; il est simultané au trajet, un élément constituant du Temps. Comment est-il possible, dans l'ordre de la vie, de s'engager dans le processus du devenir et de la croissance, lequel signifie nécessairement l'éloignement et la particularisation, tout en effectuant le Retour (vers l'Origine) ? Grâce au Vide, répond le taoïste. Dans le développement linéaire du Temps, le Vide, chaque fois qu'il intervient, introduit le mouvement circulaire qui relie le sujet à l'Espace originel. Ainsi, une fois de plus, le Vide qui réside à la fois au sein de l'Origine et au cœur de toutes choses est le garant du bon fonctionnement de la vie dans le cadre du Temps-Espace. Dans la mesure où le Temps vivant n'est autre qu'une actualisation de l'Espace vital, le Vide constitue une sorte de régulateur qui transforme chaque étape de la vie vécue en un espace animé par les souffles vitaux, condition indispensable pour préserver la chance d'une vraie plénitude.

Nous venons de résumer la pensée taoïste au sujet de ce problème essentiel du Temps et de l'Espace. Toutefois, les remarques de Lao-tzu restent trop laconiques pour nous permettre d'en déceler toutes les implications. Il est utile, en vue d'une connaissance plus complète, de se reporter à un contexte culturel plus large, et en premier lieu, à cet ouvrage initial qu'est le *Livre des Mutations* dont nous avons signalé l'importance au début de ce chapitre.

L'idée fondamentale du *Livre des Mutations,* comme
son titre l'indique, est celle de la mutation qui régit
toutes choses, et qui règle avant tout la relation entre
les trois Entités que sont le Ciel, la Terre et l'Homme.
Du point de vue de l'Homme : comme il possède, outre
sa propre nature, les vertus du Ciel et de la Terre, il ne
peut s'accomplir qu'en les prenant en charge. Dans
cette perspective, le Ciel et la Terre, par leur interaction, représentent en même temps l'Espace et le Temps
(c'est plus tard, sous les Han, qu'on trouve dans le
Huai-nan-tzu le terme *yü-chou* « Espace-Temps » qui
désigne l'univers). Le Temps, essentiellement lié à la
Terre, y apparaît comme espace vital actualisé ; et
l'Espace, essentiellement lié au Ciel, du fait même qu'il
est vital, comme garant de la qualité juste du Temps.
Les deux sont solidaires et transmuables, animés qu'ils
sont par les mêmes souffles vitaux. En tant que composantes de la vie en mutation, ni l'un ni l'autre ne sont
des concepts ou des cadres abstraits et séparés ; ils incarnent la Qualité même de la Vie.

C'est ici qu'il convient de mentionner un fait important : les deux principaux courants de la pensée chinoise, confucianiste et taoïste, se réfèrent tous deux au
Livre des Mutations dont ils accentuent chacun un
aspect particulier. Tandis que Confucius exalte la vertu
du Ciel, donc du Yang, chez l'Homme, grâce à quoi
l'Homme domine la Terre (Confucius, citant le *Livre
des Mutations,* dit : « A l'exemple de la marche dynamique du Ciel, l'homme de bien œuvre en lui-même
sans relâche »), Lao-tzu préconise le processus par
lequel l'Homme obéit à la loi de la Terre, qu'habite le
Yin, afin de rejoindre le Ciel. De cette différence
d'accent, il résulte deux attitudes non pas tant diver-
gentes mais complémentaires. L'homme confucéen est
engagé, il a éminemment le sens du Temps et du deve-

nir graduel (Confucius dit : « A quinze ans, je me suis résolu aux études ; à trente ans, étant initié aux Rites, je me suis raffermi ; à quarante ans, je n'ignorais rien de la voie de la Vertu ; à cinquante ans, je connaissais les décrets du Ciel ; à soixante ans, j'avais le discernement parfait ; à soixante-dix ans, agissant en tout selon mon désir, je ne transgresse point la Règle »), l'homme taoïque dont le regard est tourné vers le Ciel recherche d'emblée l'entente innée avec l'Origine qui transcende le Temps. A tel point qu'un philosophe chinois moderne, Fang Tung-mei, a pu dire que l'homme selon Confucius est un homme du Temps et l'homme selon Lao-tzu est un homme de l'Espace. Bien entendu, la réalité est loin d'être aussi simple et aussi tranchée, puisque le Ciel et la Terre sont pris dans le même mouvement circulaire du Tao. Et si différence il y a, elle ne saurait être qu'une question d'éclairage.

Sous peine de répétition, soulignons une fois de plus ceci : c'est bien le Vide qui favorise l'interaction, voire la transmutation, entre Ciel et Terre, et par là, entre Espace et Temps. Si le Temps est perçu comme actualisation de l'Espace vital, le Vide, en introduisant la discontinuité dans le déroulement temporaire, ré-investit, en quelque sorte, la qualité de l'Espace dans le Temps, assurant ainsi le rythme juste des souffles et l'aspect total des relations. Ce changement qualitatif du Temps en Espace (il ne s'agit nullement d'une simple représentation spatiale du Temps ou d'un système de correspondance qui permettrait seulement de mesurer l'un par l'autre) est la condition même d'une vraie vie qui ne soit pas unidimensionnelle ou un développement en sens unique. Aussi, Confucius et Lao-tzu proposent-ils, en ce qui concerne la manière dont l'Homme doit vivre l'Espace-Temps, le *hsü-hsin* « Vide du cœur » qui rend l'Homme à même d'intérioriser tout le processus du changement qualitatif dont nous venons de parler. Le Vide implique alors Intériorisation et Totalisation.

Le *Livre des Mutations,* on le voit, sert d'unité de base aux deux doctrines (confucianiste et taoïste) apparemment opposées. Selon l'interprétation traditionnelle, le terme mutation, dans le Livre, possède trois significations : *pu-i* « mutation non changeante » ; *chien-i* « mutation simple » ; et *pien-i* « mutation changeante ». On peut dire, en gros, que la « mutation non changeante » correspond au Vide originel, la « mutation simple » au mouvement régulier du Cosmos et la « mutation changeante » à l'évolution des êtres particuliers. Les trois mutations ne sont pas séparées ; elles concourent pour former le cours à la fois complexe et uni du Tao. Cette idée a déterminé en Chine, durant deux millénaires, la conception du devenir humain et de l'Histoire. Dans l'existence d'un être particulier, le Temps suit un double mouvement : linéaire (dans le sens de la « mutation changeante ») et circulaire (vers la « mutation non changeante ») qu'on peut figurer ainsi :

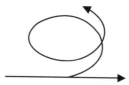

Au niveau de l'Histoire, on observe de même un temps qui se déroule de cycle en cycle. Ces cycles (qui ne sont point des répétitions à l'infini) sont séparés par le Vide, tout en suivant un mouvement en spirale, attirés qu'ils sont, eux aussi, par la « mutation non changeante ».

I

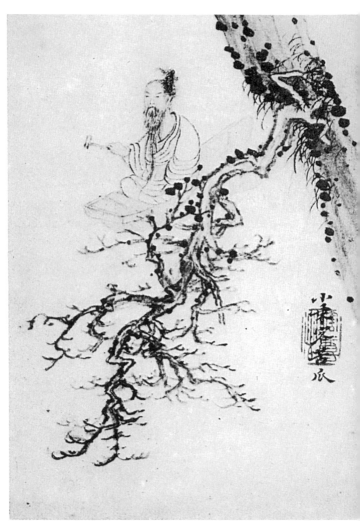

II

III

IV

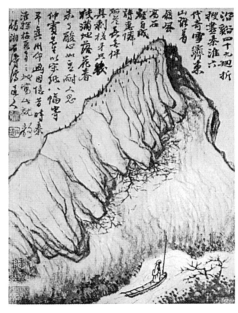

V

VI

VII

VIII

IX

X

XII

XIII

XIV

XVII

黄河落天走江
海萬里瀉入胸懷
間此有吞雲踞脊
漢白雲滾滾迷松
關嵩門巨靴年
泉下飛項丹砂迸
之春我時住筆
還自有攜勝飛
空蜀天馬
大滌子

XVIII

XIX

XX

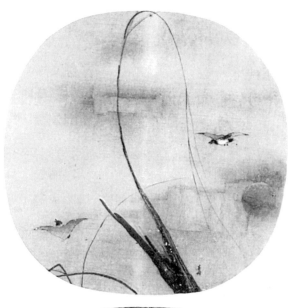

XXIII

XXV

XXVI

XXVII

2. Le Vide dans la peinture chinoise

La peinture chinoise ancienne dont l'histoire nous est connue surtout à partir des Han (IIᵉ s. avant J.-C. – IIᵉ s. après J.-C.) a suivi une évolution qui va d'une tradition marquée par le réalisme vers une conception de plus en plus spirituelle. Par spirituelle, nous n'entendons pas une peinture à sujets religieux – laquelle a toujours existé au cours de l'histoire, notamment celle de la tradition bouddhique –, mais une peinture qui tend elle-même à devenir spiritualité. Spiritualité essentiellement inspirée du taoïsme et enrichie par la suite de la philosophie Ch'an (Zen). C'est dans ce contexte que sous les T'ang (VIIᵉ s. – IXᵉ s.), grâce aux œuvres d'un Wang Wei, d'un Wu Tao-tzu, une peinture où domine le Vide prit naissance; elle devait atteindre son apogée sous les Sung et les Yuan (Xᵉ s. – XVᵉ s.).

Cependant, sur le plan théorique, bien avant les T'ang, dès l'époque des Six-Dynasties (IVᵉ s. – VIᵉ s.) qui vit naître la pensée critique sur l'art, la notion du Vide fut mise à l'honneur par des théoriciens tels que Hsieh Ho et Tsung Ping. Depuis, elle restera le thème majeur dans la pensée esthétique chinoise. Cette pensée s'appuie sur une littérature particulièrement abondante. Voici, dans

l'ordre chronologique, la liste des auteurs et des textes
auxquels nous faisons référence dans notre étude[1] :

SIX-DYNASTIES

Tsung Ping   *Hua shan-shui hsü*[2]
Hsieh Ho   *Ku-hua p'in lu*

T'ANG

Wang Wei   *Hua-hsüeh mi chüeh*
                      et *Shan-shui fu*[3]
Chang Yen-yuan   *Li-tai ming-hua chi*
Ching Hao   *Pi-fa chi*[4]

SUNG

Kuo Hsi   *Lin-ch'uan kao-chih chi*[5]
Kuo Jo-hsu   *T'u-hua chien-wen chih*
Mi Fu   *Hua shih*
Su Tung-po   *Propos sur l'art*
Han Chuo   *Shan-shui ch'un ch'üan-chi*[6]

YUAN

Huang Kung-wang *Hsieh shan-shui chüeh*[7]

MING

Tung Ch'i-ch'ang   *Hua chih* et *Hua yen*[8]
Li Jih-hua   *Chu lan hua ying* et *Wei shui hsüan jih chi*

---

1. La plupart de ces textes figurent dans les collections ou anthologies telles que *Wang-shih shu-hua yuan* de Wang Shih-chen, *Mei-shu
ts'ung-shu* de Teng Shih, *Chung-huo hua-lun lei-pien* de Yu Chien-
hua, *Hua-lun ts'ung-k'an* de Yu An-lan. Nous indiquons ici les pages
des textes dans *Hua-lun ts'ung-kan* (HLTK). Pour les textes qui n'y
figurent pas, voir Bibliographie.
2. HLTK, p. 1. – 3. HLTK, p. 4-6. – 4. *Ibid.*, p. 7-10. – 5. *Ibid.*,
p. 16-30. – 6. *Ibid.*, p. 33-50. – 7. *Ibid.*, p. 55-57. – 8. *Ibid.*, p. 76-104.

Shen Hao	*Hua ch'en*[1]
Mo Shih-lung	*Hua shuo*[2]
Shih-t'ao	*Hua yü lu*[3]

Avant de proposer une étude sémiologique à partir de ces textes[13], il nous semble nécessaire de rappeler, au risque de nous répéter, certaines idées philosophiques de base sur lesquelles la peinture chinoise est fondée.

Rappelons d'abord l'importance de la cosmologie,

---

1. HTLK, p. 134-140. – 2. *Ibid.*, p. 65-68. – 3. *Ibid.*, p. 146-158. – 4. *Ibid.*, p. 235-256. – 5. *Ibid.*, p. 495-507. – 6. *Ibid.*, p. 316-321. – 7. *Ibid.*, p. 424-432. – 8. *Ibid.*, p. 322-394. – 9. *Ibid.*, p 275-309. – 10. *Ibid.*, p. 258-261. – 11. *Ibid.*, p. 508-528. – 12. *Ibid.*, p. 433-466.
13. Au cours de notre étude, l'accent sera mis sur la peinture de paysage ; car c'est surtout à partir de celle-ci que les théoriciens ont élaboré leur pensée esthétique. Précisons cependant que la peinture chinoise aborde des thèmes très variés. La tradition distingue quatre catégories : les paysages (y compris les habitations humaines), les personnages, les plantes et fleurs (auxquelles s'associent parfois oiseaux et insectes) et enfin les animaux. Il existe de nombreux traités techniques qui portent sur chacune de ces catégories.

dans la mesure où la peinture ne vise pas à être un
simple objet esthétique ; elle tend à devenir un microcosme recréant, à la manière du macrocosme, un espace
ouvert où la vraie vie est possible. (Wang Wei : « Au
moyen d'un menu pinceau, recréer le corps immense du
Vide. » Tsung Ping : « Le contact spirituel une fois établi, les formes essentielles seront réalisées ; de même
sera capté l'Esprit de l'univers. La peinture ne sera-
t-elle pas alors aussi vraie que la Nature elle-même ? »)
D'où la primauté accordée à la notion de souffle. Si
l'univers procède du Souffle primordial et ne se meut
que grâce aux souffles vitaux, il faut que ces mêmes
souffles animent la peinture. Manquer de souffle, c'est
le signe même d'une peinture médiocre. Corrélative à la
notion de souffle est celle du Yin-Yang qui incarne
les lois dynamiques régissant toutes choses. A partir
du Yin-Yang sont nées, en peinture, d'une part l'idée
de polarité (Ciel-Terre, Montagne-Eau, Lointain-
Proche, etc.) et, d'autre part, celle de *li* « lois internes ou
lignes internes des choses ». Mue par ces deux idées, la
peinture ne se contente plus de reproduire l'aspect extérieur des choses, elle cherche à en capter les lignes
internes et à fixer les relations cachées qu'elles entretiennent entre elles. (Tsung Ping : « De plus, l'Esprit n'a
point de forme propre ; c'est à travers les choses qu'il
prend forme. Il s'agit alors de tracer les lignes internes
des choses au moyen des traits de pinceau habités par
l'ombre et par la lumière. Quand les choses sont ainsi
adéquatement saisies, elles deviennent la représentation
de la Vérité elle-même. »)

C'est dans ce contexte à la fois philosophique et
esthétique qu'intervient l'élément central de la peinture
chinoise : le Trait de pinceau. Nous allons voir, plus loin,
tout le contenu spécifiquement pictural du Trait. Ici,
sous l'angle philosophique, il nous suffit de souligner

que le Trait tracé, aux yeux du peintre chinois, est réellement le trait d'union entre l'homme et le surnaturel. Car le Trait, par son unité interne et sa capacité de variation, est Un et Multiple. Il incarne le processus par lequel l'homme dessinant rejoint les gestes de la Création. (L'acte de tracer le Trait correspond à celui même qui tire l'Un du Chaos, qui sépare le Ciel et la Terre.) Le Trait est à la fois le Souffle, le Yin-Yang, le Ciel-Terre, les Dix-mille êtres, tout en prenant en charge le rythme et les pulsions secrètes de l'homme.

L'ensemble des données que nous venons de préciser forme un réseau cohérent. Ce réseau ne peut fonctionner que grâce à un facteur toujours implicite : le Vide. Dans la peinture comme dans l'univers, sans le Vide, les souffles ne circuleraient pas, le Yin-Yang n'opérerait pas. Sans lui, le Trait, qui implique volume et lumière, rythme et couleur, ne saurait manifester toutes ses virtualités. Ainsi, dans les réalisations d'un tableau, le Vide intervient à tous les niveaux, depuis les traits de base jusqu'à la composition d'ensemble. Il est signe parmi les signes, assurant au système pictural son efficace et son unité.

Nous dégagerons cinq niveaux que nous observerons un à un. A part le dernier, chaque niveau est marqué par un binôme appartenant à la théorie de la peinture. Les voici dans l'ordre : 1. Pinceau-Encre ; 2. Yin-Yang ; 3. Montagne-Eau ; 4. Homme-Ciel ; 5. La Cinquième Dimension. Ces niveaux ne sont pas séparés ; ils forment un tout organique. Dans ce tout, le Vide, partant d'un centre et circulant de niveau en niveau, suit un mouvement en spirale, comme pour dénouer un nœud. Cette conception organique du tableau fait penser, une fois de plus, au corps humain (voir chap. I, II), où le Cœur, habité par le Vide médian, concentre les souffles pour les répartir à travers organes et viscères. Cette

comparaison avec le corps humain nous rappelle en
outre que la peinture, au lieu d'être un exercice purement esthétique, est une pratique qui engage tout
l'homme, son être physique comme son être spirituel, sa
part consciente aussi bien qu'inconsciente.

La dichotomie Vide-Plein n'est certes pas une exclusivité chinoise. Elle a cours, avec plus ou moins d'extension, dans tout ce qui touche aux arts picturaux ou plastiques. La suite de cette étude, à chacune de ses étapes,
en montrera les implications particulières dans le
domaine chinois. Il est permis, compte tenu de ce que
nous avons pu voir, de cerner d'ores et déjà la nature de
cette particularité. Le Vide-Plein n'y est pas seulement
une opposition de forme, ni un procédé pour créer la
profondeur dans l'espace. En face du Plein, le Vide
constitue une entité vivante. Ressort de toutes choses, il
intervient à l'intérieur même du Plein, en y insufflant
les souffles vitaux. Son action a pour conséquence de
rompre le développement unidimensionnel, de susciter
la transformation interne et d'entraîner le mouvement
circulaire. C'est bien à partir d'une conception originale
de l'univers, de type « organiciste »[1], qu'on peut appréhender la réalité de ce Vide.

1. PINCEAU-ENCRE

A la base de toutes les théories sur la peinture chinoise
se trouve la notion de Pinceau-Encre. Celle-ci est plus
spécifiquement liée à la peinture à l'Encre *(shui-mo-hua)*

---

[1]. Nous empruntons ce qualificatif, d'origine anglaise, à Joseph
Needham. Voir *Science and Civilisation in China,* vol. I.

où l'encre noire, par ses infinies nuances, semble suffisamment riche aux yeux du peintre pour incarner toutes les variations de couleurs qu'offre la nature. L'Encre est associée au Pinceau, car isolée, elle reste une matière virtuelle que seul le Pinceau peut rendre vivante. Leur union intime d'ailleurs est souvent symbolisée par l'union sexuelle. Il y a cependant entre eux un partage de travail. Comme l'a formulé, à la suite de tant d'autres, Han Chuo, des Sung : « Le Pinceau pour engendrer substance et forme, l'Encre pour fixer couleur et lumière. » Étant donné le riche contenu dont chacun des deux est chargé, nous allons étudier le Pinceau et l'Encre séparément. Et tout d'abord le Pinceau.

Le Pinceau désigne à la fois l'instrument et le Trait qu'il trace. Nous avons déjà signalé la signification philosophique de l'Unique Trait de pinceau ; c'est d'un point de vue proprement pictural qu'il sera observé ici. Le Trait n'est pas une ligne sans relief ni un simple contour des formes ; il vise, nous l'avons dit, à capter le *li* « ligne interne » des choses, ainsi que les souffles qui les animent. (Su Tung-po : « Montagne, rocher, bambou, arbre, rides sur l'eau, brumes et nuages, toutes ces choses de la nature n'ont pas de forme fixe ; en revanche, elles ont chacune une ligne interne constante. C'est cela qui doit guider l'esprit du peintre. ») Par son plein et son délié, son concentré et son dilué, sa poussée et son arrêt, le Trait est à la fois forme et teinte, volume et rythme, impliquant la densité fondée sur l'économie de moyens et la totalité qui englobe les pulsions mêmes de l'homme. Par son unité, il résout le conflit que ressent tout peintre entre le dessin et la couleur, la représentation du volume et celle du mouvement[1].

1. Matisse, dans ses *Écrits et Propos sur l'art*, p. 182, parle de l'éternel conflit du dessin et de la couleur. Par ailleurs, il dit : « Dans le dessin, même formé d'un seul trait, on peut donner une infinité de

L'art du Trait a été favorisé en Chine par l'existence de la calligraphie et par le fait qu'en peinture, l'exécution d'un tableau est instantanée et rythmique.

Pour ce qui est de la calligraphie, précisons tout d'abord que la formation même des idéogrammes a habitué les Chinois à saisir les choses concrètes par les traits essentiels qui les caractérisent. Puis, la calligraphie est venue en exploiter la beauté plastique. Cet art est fondé, d'une part, sur la structure harmonieuse ou contrastive des traits et, d'autre part, sur l'aspect sensible et varié des traits faits de pleins et de déliés. Aboutissant au style cursif et rapide, la calligraphie a introduit enfin la notion de rythme et de souffle. Elle est devenue un art complet. En la pratiquant, le calligraphe a l'impression de s'impliquer en entier, c'est un engagement à la fois du corps, de l'esprit et de la sensibilité.

La calligraphie a exercé une influence profonde sur la pratique de la peinture. Dès l'époque des T'ang, notamment à partir de Wu Tao-tzu, l'exécution d'un tableau se fait de façon spontanée et sans retouches ; l'artiste maintient en peignant le rythme des gestes, afin de ne point « rompre le rythme ». Une telle conception de l'exécution picturale suppose, bien entendu, que le peintre possède à l'avance la vision d'ensemble et les détails concrets de ce qu'il va peindre. En effet, avant de peindre un tableau, l'artiste doit suivre une longue période d'apprentissage durant laquelle il s'exerce à maîtriser les multiples types de traits représentant les

---

nuances à chaque partie qu'il enclot... Il n'est pas possible de séparer dessin et couleur... Le dessin est une peinture faite avec des moyens réduits. Sur une surface blanche, avec une plume et de l'encre, on peut, en créant certains contrastes, créer des volumes ; on peut, en changeant la qualité du papier, donner des surfaces souples, des surfaces claires, des surfaces dures sans mettre ni ombres ni lumières. »

multiples types d'êtres ou de choses, traits qui résultent d'une minutieuse observation de la nature. C'est seulement lorsque l'artiste possède la vision et les détails du monde extérieur qu'il commence à peindre. L'exécution, instantanée et rythmique, devient alors une projection à la fois des figures du Réel et du monde intérieur de l'artiste. C'est dans ce sens que Shih-t'ao, en parlant du Trait unique, dit qu'il est le trait d'union entre l'esprit de l'homme et l'univers ; le Trait, tout en révélant les pulsions irrésistibles de l'homme, reste fidèle au Réel. C'est aussi dans ce sens qu'il faut entendre le célèbre adage de Chang Tsao, des T'ang : « Au-dehors, prendre modèle sur la Création ; à l'intérieur, suivre la source de l'Ame. »

Tous les grands peintres ont insisté sur le fait qu'avant de peindre, il faut posséder la nature « par cœur »[1]. Nous citons les remarques les plus célèbres sur ce sujet :

> SU TUNG-PO Avant de peindre un bambou, il faut que le bambou pousse en votre for intérieur. C'est alors que le pinceau en main, le regard concentré, la vision surgit devant vous. Cette vision, saisissez-la aussitôt par les traits de pinceau, car elle peut disparaître aussi subitement que le lièvre à l'approche du chasseur !

> WANG YU C'est de l'âme même du peintre que surgissent les monts et les grottes !

> SHEN TSUNG-CH'IEN L'univers est fait de souffles vitaux et la peinture s'accomplit au moyen du Pinceau-Encre. La peinture n'atteint son excellence que lorsque les souffles émanant du Pinceau-Encre s'harmonisent pour ne plus faire qu'un avec ceux de l'univers. Il se dégage

---

1. Cela n'exclut nullement qu'au cours d'une exécution, le peintre dessine d'après la nature ; surtout lorsqu'il s'agit de fixer les nuances tonales de l'atmosphère. Il en va de même avec la peinture des personnages et des animaux.

alors une voie cohérente à travers l'apparent désordre
des phénomènes. Il importe donc que l'Idée de toutes
choses soit déjà accomplie dans le cœur de l'artiste, afin
que l'exécution du tableau qui réalise spontanément le
dilué-concentré, le clair-obscur, le tendre-puissant, le vir-
tuel-manifesté soit animée par le courant vital dont
l'Univers est habité. Toute la qualité supérieure d'un
tableau est à ce prix.

Le Trait dont nous venons de cerner la réalité ne
fonctionne à plein que grâce au Vide. S'il doit être
animé par les souffles et le rythme, il faut avant tout
que le Vide le précède, le prolonge, et même le traverse ; et s'il lui est possible d'incarner à la fois lignes et
volumes, c'est parce que son plein et son délié, ainsi que
le vide qu'il enclot ou cerne, les montrent, et surtout les
suggèrent. Voici, présentées en détail, les nombreuses
remarques concernant la double fonction du Trait.

a) Souffle, rythme

Le souffle et le rythme sont deux notions solidaires.
Elles se trouvent réunies dans le premier des Six
Canons pour la peinture que Hsieh Ho a fixés au
Ve siècle : engendrer et animer le souffle rythmique[1].
Dans un trait, ce souffle rythmique ne peut s'obtenir que
par la qualité du Vide que le trait contient ou implique.

---

1. *Ch'i-yün sheng-tung.* Nous n'ignorons pas les multiples inter-
prétations suscitées par ce Canon. Rappelons que celui-ci est syntaxi-
quement composé de deux groupes : groupe nominal et groupe verbal. Pour le groupe verbal Sheng-tung, on pourrait simplement le
traduire par « rendre vivant et animé ». Quant au groupe nominal
Ch'i-yün, au lieu de l'expression. « souffle rythmique », on pourrait le
rendre par un composé coordonné « souffle-harmonie ». Dans cette
acception, l'idée du souffle a trait surtout au travail du Pinceau, tandis que l'harmonie suggère l'effet de l'Encre.

WANG WEI   En peignant un paysage, le concept (du souffle rythmique) doit seul guider le Pinceau.

CHING HAO   Le Pinceau possède quatre substances : muscle, chair, os, souffle.

CHANG YEN-YUAN   Collaborer à l'œuvre de la Création par le truchement du Pinceau. Il est dit : L'Idée (du Vide) doit précéder le Pinceau ; de même, elle doit le prolonger, une fois le Trait terminé. Un trait tracé à la règle est un trait mort. Seule est vraie la peinture où le Pinceau est guidé par l'Esprit et se concentre sur l'Un.

SHEN TSUNG-CH'IEN   Le jeu du Pinceau doit être dominé par le souffle. Lorsque le souffle est, l'énergie vitale est ; c'est alors que le Pinceau engendre véritablement le Divin.

PU YEN-T'U   Avant le Ciel-Terre fut l'Idée. Pivot du changement, elle suscite dix mille transformations ; âme de la peinture, elle engendre dix mille images. Chez un peintre supérieur, l'Idée précède (et déborde) le Pinceau. Il vaut mieux en effet que l'Idée prolonge le Pinceau plutôt que l'inverse... Lorsque la magie divine opère, le Pinceau-Encre atteint la Vacuité. Alors, il y a Pinceau par-delà le Pinceau et Encre par-delà l'Encre. On n'a plus qu'à agir selon son désir, et il n'y a rien qui ne fasse merveille ; car c'est là l'œuvre du Ciel.

HUANG PIN-HUNG   Dans un trait tracé, il faut qu'il y ait le rythme d' « une onde, trois rides »... En peinture, relier une ligne à une autre ne revient pas à greffer une branche à une autre. La greffe vise la solidité, alors que le tracé des traits cherche à ne pas étouffer le Souffle... Une ligne est faite de points. Chacun des points a une existence propre ; il promet de multiples transformations. Poser un point, c'est semer un grain ; celui-ci doit pousser et devenir... Même pour faire un point, il convient qu'il y ait du vide dans le plein. C'est alors seulement que le point devient vivant, comme animé par l'Esprit... Un tableau débute avec les traces du Pinceau-

Encre pour aboutir au non-trace du Pinceau-Encre.
Partir du distinct et du tangible pour atteindre le « Vide
éclaté », ce n'est pas à la portée d'un débutant.

Pour que le Trait soit animé par les souffles, il ne suffit pas que le Vide habite seulement le Trait, il faut qu'il
guide aussi le poignet même du peintre. Le peintre
Shih-t'ao a affirmé l'importance du *hsü-wan* «poignet
vide » dans ses *Propos sur la peinture.* (Le « poignet
vide » ne signifie nullement une main sans force lorsque
le peintre tient le pinceau. Au contraire, c'est le résultat
d'une grande concentration, du Plein tendu à l'extrême.
Le peintre ne doit commencer à peindre que lorsque le
Plein de sa main atteint son point culminant et cède
soudain au Vide.) Citons ici les remarques très techniques de Ch'eng Yao-t'ien[1] : « Le Vide agit à tous les
niveaux du corps lorsqu'on calligraphie (ou peint). A
chaque niveau, le Plein, une fois mûr, cède au Vide, et
cela dans l'ordre suivant : les membres inférieurs──▶les
membres supérieurs──▶la partie gauche du corps──▶la
partie droite du corps──▶l'épaule droite──▶le bras
droit──▶le poignet──▶les doigts──▶le Pinceau... Le
Vide a double effet : grâce à lui, la force du Trait
pénètre le papier jusqu'à le traverser ; grâce à lui aussi,
tout s'anime à la surface du papier, étant mû par le
Souffle. »
Deux types de traits impliquent plus particulièrement
le Vide interne :
1. *Kan-pi* « pinceau sec » : le pinceau est imbibé
de peu d'encre. Le trait qu'il trace, en équilibre entre
présence et absence, entre substance et esprit, crée
une impression de discrète harmonie, comme im-
prégnée de Vide. Le grand maître du *kan-pi* est

---

1. Voir *Mei-shu ts'ung-shu.*

Ni Tsan des Yuan, dont on goûte la « saveur ineffable ».

2. *Fei-pai* « blanc volant » : les poils du pinceau, au lieu d'être concentriques, sont écartés en sorte que le trait tracé rapidement comporte du blanc au milieu. L'effet en est l'union de puissance et de légèreté, comme si le trait était « troué » par le Souffle.

Un troisième type de trait qu'il convient de signaler est le *ts'un* « trait ridé ou trait modelé ». Celui-ci est lié surtout au problème de la forme ; nous le présentons dans la partie qui suit.

b) Forme, volume

Le *ts'un* (voir illustrations pages suivantes) est un trait ridé utilisé pour modeler la forme ou pour suggérer le volume des objets. Il en existe une grande variété capable de représenter les multiples types de formes qu'on observe dans la nature (arbres, rochers, montagnes, nuages, habitations, figures humaines, etc.). Ils portent souvent des noms pittoresques ou imagés : « nuage enroulé », « chanvre éparpillé », « corde détoronnée », « filet crevé », « gueule de diable », « crâne de squelette », « fragment de jade », « fagot emmêlé », « taillé à la hache »... Constitué de crochets, d'angles ou de courbes, le *ts'un* joue sur le plein et le délié, mais aussi sur le vide qu'il enclot ou cerne pour suggérer à la fois forme et mouvement, couleur et relief.

TUNG CH'I-CH'ANG   A peine le Pinceau touche-t-il le papier que déjà les figures en relief apparaissent !

MO SHIH-LUNG   Ah, l'importance primordiale du Pinceau-Encre ! Le pinceau n'est pas réalisé lorsqu'on trace un contour sans méthode de trait ; l'Encre n'est pas réalisée lorsque le trait tracé est dénué de clair-obscur et d'envers-endroit. Les Anciens disaient qu'un rocher des-

divers traits modelés

divers dessins

siné doit être vu de trois côtés; cela tient à la fois au Pinceau et à l'Encre.

FANG HSÜN   Le trait comporte l'endroit-envers et le vide-plein. Un artiste accompli doit être capable de montrer avec des coups de pinceau les choses vues de divers côtés.

CHENG PAN-CH'IAO   Le peintre Wan Ko de Hsi-chiang est un disciple éminent de Pa-ta-shan-jen. Il est doué du talent spécial de dessiner un rocher d'un seul coup de pinceau. Et les reliefs du rocher, ainsi que ses aspects sinueux et charnels apparaissent dans leurs moindres détails.

PU YEN-T'U   Dans le trait ridé, il y a opposition du plein et du vide. Dans le tracé, il importe de varier le jeu : que le compact et le concentré alternent avec le creux et le délié; que le tout soit prolongé par l'esprit.

HUANG PIN-HUNG   Garder la mesure (ou ménager l'équilibre) dans la ramification des traits ridés. Que ceux-ci se chevauchent sans qu'ils s'entremêlent, se cèdent la place sans se heurter. Les Anciens, pour suggérer cela, utilisaient l'image de nombreux portefaix se croisant sur la route : comme ils savent s'éviter les uns les autres tout en se côtoyant de près ! (Par ailleurs, Huang emploie l'expression traditionnelle : «Les traits ridés peuvent être serrés au point que l'air ne circule pas au travers, tout en donnant l'impression que les chevaux peuvent galoper à l'aise au milieu d'eux[1]. »)

Dans la représentation des formes par le Trait, une notion importante est celle de *yin-hsien* «Invisible-

1. Matisse, dans ses *Écrits et Propos sur l'art,* dit : «J'avais déjà remarqué que dans les travaux des Orientaux le dessin des vides laissés autour des feuilles comptait autant que le dessin même des feuilles. Que, dans deux branches voisines, les feuilles d'une branche étaient plus en rapport avec celles de sa voisine qu'avec les feuilles de la même branche. » «Je dessine l'olivier que je vois de mon lit. Lorsque l'inspiration s'est écartée de l'objet, j'observe les vides qui sont entre les branches. Observation n'ayant pas de rapport immédiat avec l'objet. Ainsi on échappe à l'image habituelle de l'objet dessiné, au cliché "olivier". En même temps, on s'identifie avec l'objet. »

Visible ». Elle s'applique surtout à la peinture paysagiste où l'artiste doit cultiver l'art de ne pas tout montrer, afin de maintenir vivant le souffle et intact le mystère. Cela se traduit par l'interruption des traits (les traits trop liés étouffent le souffle), et par l'omission, partielle ou totale, de figures dans le paysage. On fait souvent appel à l'image du dragon évoluant dans les nuages pour suggérer le charme du *yin-hsien,* comme le montrent certaines des citations suivantes :

WANG WEI Le sommet d'une tour se perd dans le ciel et sa base doit demeurer invisible. Les choses doivent être à la fois présentes et absentes, on n'en voit que le haut ou le bas. Des meules ou des levées de terre, ne laissez voir qu'une moitié ; des chaumières et des pavillons, n'indiquez qu'un pan de mur ou une corniche[1].

CHANG YEN-YUAN En peinture, on doit éviter le souci d'accomplir un travail trop appliqué et trop fini dans le dessin des formes et la notation des couleurs, comme de trop étaler sa technique, la privant ainsi de secret et d'aura. C'est pourquoi il ne faut pas craindre l'inachevé, mais bien plutôt déplorer le trop-achevé. Du moment que l'on sait qu'une chose est achevée, quel besoin y a-t-il de l'achever ? Car l'inachevé ne signifie pas forcément l'inaccompli ; le défaut de l'inaccompli réside justement dans le fait de ne pas reconnaître une chose suffisamment achevée. Lorsqu'on dessine une chute (ou une source) il convient que les traits soient interrompus sans que le soit le Souffle ; que les formes soient discontinues, sans que le soit l'Esprit. Tel un dragon divin au milieu des nuages : sa tête et sa queue ne semblent pas reliées, mais son être est animé d'un seul souffle.

LI JIH-HUA[2] En peinture, il importe de savoir retenir,

---

1. P. Ryckmans, *Les «Propos sur la peinture» de Shitao.*
2. Li Jih-hua (1565-1635) est un lettré à la vaste culture. Il est l'auteur de plusieurs recueils dans lesquels il traite des sujets très variés. Ses propos sur la peinture, disséminés dans ces recueils, figurent dans la plupart des anthologies et frappent par leur justesse et leur pertinence.

mais également de savoir laisser. Savoir retenir consiste
à cerner le contour et le volume des choses au moyen de
traits de pinceau. Mais, si le peintre use de traits conti-
nus ou rigides, le tableau sera privé de vie. Dans le tracé
des formes, bien que le but soit d'arriver à un résultat
plénier, tout l'art de l'exécution réside dans les inter-
valles et les suggestions fragmentaires. D'où la nécessité
de savoir laisser. Cela implique que les coups de pinceau
du peintre s'interrompent (sans que le souffle qui les
anime le fasse) pour mieux se charger de sous-entendus.
Ainsi une montagne peut-elle comporter des pans non
peints, et un arbre être dispensé d'une partie de ses
ramures, en sorte que ceux-ci demeurent dans cet état en
devenir, entre être et non-être.

T'ANG I-FEN   La montagne, lorsqu'elle est trop « pleine », il faut la rendre « vide » avec brume et fumée ;
lorsqu'elle est trop « vide », la rendre « pleine » en y
ajoutant pavillons et terrasses... Par-delà les montagnes,
encore d'autres montagnes ; apparemment séparées,
elles sont pourtant reliées. Par-delà les arbres, toujours
d'autres arbres ; bien que paraissant tissés, ils sont sans
liens... Quand apparaît enfin la scène totale, la vérité de
celle-ci ne tient pas à l'abondance de traits de pinceau.
Là où se concentre le regard de l'esprit, point n'est
nécessaire l'image entière.

PU YEN-T'U   Toutes les choses sous le Ciel ont leur
visible-invisible. Le visible, c'est son aspect extérieur,
c'est son Yang ; l'invisible, c'est son image intérieure,
c'est son Yin. Un Yin, un Yang, c'est le Tao. Tel un dragon évoluant en plein ciel. S'il se montre à nu tout entier,
sans aura ni prolongement, de quel mystère peut-il s'être
enveloppé ? C'est pourquoi un dragon se dissimule toujours derrière les nuages. Charriant vents et pluies, il
s'élance, fulgurant ; et virevolte, superbe. Tantôt, il fait
briller ses écailles, tantôt, il laisse deviner sa queue. Le
spectateur, les yeux écarquillés, n'en pourra jamais faire
le tour. C'est par son double aspect visible-invisible que
le dragon exerce son infini pouvoir de fascination... Le
paysage qui fascine un peintre doit donc comporter à la
fois le visible et l'invisible. Tous les éléments de la nature

qui paraissent finis sont en réalité reliés à l'infini. Pour intégrer l'infini dans le fini, pour combiner visible et invisible, il faut que le peintre sache exploiter tout le jeu de Plein-Vide dont est capable le pinceau, et de concentrée-diluée dont est capable l'encre. Il peut commencer par le Vide et le faire déboucher sur le Plein, ou inversement. Le pinceau doit être mobile et vigoureux : éviter avant tout la banalité. L'encre doit être nuancée et variée : se garder de tomber dans l'évidence. Ne pas oublier que le charme de mille montagnes et de dix mille vallées réside dans les tournants dissimulés et les jointures secrètes. Là où les collines s'embrassent les unes les autres, où les rochers s'ouvrent les uns aux autres, où s'entremêlent les arbres, se blottissent les maisons, se perd au loin le chemin, se mire dans l'eau le pont, il faut ménager des blancs pour que le halo des brumes et le reflet des nuages y composent une atmosphère chargée de grandeur et de mystère. Présence sans forme mais douée d'une structure interne infaillible. Il n'est pas trop de tout l'art du visible-invisible pour la restituer !

Après le Pinceau, c'est l'Encre que nous allons étudier, dans la section suivante.

2. YIN-YANG (OU OBSCUR-CLAIR)

On connaît l'étendue de l'emploi du couple Yin-Yang dans le domaine chinois. Il s'applique à tous les niveaux, depuis la cosmologie jusqu'aux êtres et aux choses. En peinture, le Yin-Yang est pris dans un sens très précis : il a trait à l'action de la lumière, laquelle est exprimée par le jeu de l'Encre. Par action de la lumière, nous entendons non seulement le contraste clair-obscur qui marque toute chose, mais tout ce que régit la lumière : atmosphère, tonalité, modelé des formes, impression de la distance, etc. ; et par jeu de l'Encre, nous entendons avant tout l'encre noire dont se sert la peinture monochrome. (Précisons cependant que la peinture à base de couleurs minérales a toujours existé en Chine, notamment celle qu'on appelle « Or et Jade ».) Si la peinture chinoise, à son apogée (à l'époque des Sung et des Yuan), a privilégié l'Encre au détriment des couleurs, c'est parce que l'Encre, d'une part, par ses contrastes internes, semble suffisamment riche pour exprimer les infinies nuances de la nature et, d'autre part, se combinant avec l'art du Trait, elle offre cette unité qui, nous l'avons dit, résout la contradiction entre dessin et couleur, entre représentation du volume et rythme du souffle. Par sa double qualité à la fois une et multiple, l'Encre, comme le Pinceau, est considérée comme une manifestation directe de l'Univers originel. Dans cette optique, la visée du peintre, lorsqu'il se sert de l'Encre, n'est pas tant de reproduire les effets de la lumière que de capter cette lumière à sa source. Le regard du peintre est tourné vers le dedans, puisque après une lente assimilation des phénomènes extérieurs, les effets de l'Encre qu'il suscite ne sont plus que l'expression nuancée de son âme[1].

Inlassablement, les peintres font part de leurs observations minutieuses sur les variations de l'atmosphère et les nuances de tonalités vues à travers les paysages. Ainsi, dans son célèbre *Shan-shui fu,* Wang Wei dit :

> Sous la pluie, on ne distingue ni ciel ni terre, ni est ni ouest. S'il souffle un vent non accompagné de pluie, le

---

1 Matisse, dans ses *Écrits et Propos sur l'art,* remarque aussi : « La couleur contribue à exprimer la lumière, non pas le phénomène physique mais la seule lumière qui existe, celle du cerveau de l'artiste. Appelée et nourrie par la matière, recréée par l'esprit, la couleur pourra traduire l'essence de chaque chose et répondre en même temps à l'intensité du choc émotif. Mais dessin et couleur sont avant tout suggestion. Par illusion, ils doivent provoquer chez le spectateur la possession des choses. Un vieux proverbe chinois dit : Quand on dessine un arbre, on doit au fur et à mesure, sentir qu'on s'élève. »

regard est surtout attiré par les branches d'arbres qui s'agitent. Mais par temps de pluie sans vent, les arbres paraissent écrasés ; les passants portent leur chapeau de pluie, et les pêcheurs leur manteau de paille. Après la pluie, les nuages s'estompent laissant la place à un ciel d'azur nimbé de brumes légères ; les montagnes redoublent d'éclats d'émeraude, tandis que le soleil, dardant d'obliques rayons, semble tout proche. A l'aube, les pics se détachent de la nuit ; dans le jour naissant où s'entremêlent encore brouillard argenté et couleurs confuses, une lune vague décline. Au crépuscule, à l'horizon doré par le couchant, quelques voiles glissent sur le fleuve. Les gens se hâtent de rentrer, les maisons ont leurs portes entrebâillées. Au printemps, le paysage s'enveloppe de brumes et de fumées ; les rivières tirent au bleu ; les collines, elles, au vert. En été, de hauts arbres antiques cachent le ciel ; le lac est sans rides ; au cœur de la montagne, la chute semble tomber des nuages, et dans le pavillon solitaire, on sent la fraîcheur de l'eau. En automne, le ciel est couleur de jade ; touffue et secrète devient la forêt ; les oies sauvages survolent le fleuve ; quelques hérons se tiennent sur la berge. En hiver, la neige recouvre la terre ; un bûcheron marche, chargé de fagots ; là où l'eau basse rejoint le sable, un pêcheur accoste sa barque.

En prêtant tant d'attention aux nuances d'un paysage soumis au changement de saisons, le peintre exprime en réalité ses propres états d'âme. Kuo Hsi, dans son *Shan-shui hsün,* dit :

Les montagnes printanières s'entourent d'une guirlande de nuages et de fumées ; l'homme s'y sent joyeux. Les montagnes d'été sont riches de leurs frondaisons ombragées ; l'homme y est en paix. Les montagnes d'automne restent sereines parmi les chutes de feuilles ; l'homme paraît grave et solennel. Les montagnes en hiver sont lourdes de nuages sombres et épais ; l'homme demeure lointain et silencieux.

On distingue, à l'intérieur de l'Encre noire, six espèces différentes (considérées comme des couleurs indépendantes) : sèche, diluée, blanche ; mouillée, concentrée, noire. Elles se divisent en deux groupes parallèles, formant ainsi trois couples contrastés : sèche-mouillée, diluée-concentrée, blanche-noire. C'est ici que, pour rejoindre notre propos, il convient de souligner l'importance du Vide. Le lien entre le Vide et la Couleur trouve son fondement spirituel dans cette célèbre expression d'inspiration bouddhique : « La Couleur, c'est le Vide ; le Vide, c'est la Couleur. » La Couleur ici signifie la manifestation chatoyante du monde phénoménal. Cette manifestation est d'autant mieux exprimée qu'elle est animée par le Vide qui en révèle l'insondable mystère. Techniquement, le Vide est traduit par toute une gamme de nuances de couleur, notamment par les trois espèces du premier groupe : sèche, diluée et blanche. Quant à la manière de se servir de l'Encre, en relation avec le Pinceau, on peut en signaler trois, chacune d'elles impliquant le Vide qui assure la vibration dynamique du souffle :

P'o-mo « encre fendue » : la configuration générale et les contours flous des objets une fois fixés par l'Encre, introduire le modèle au moyen du *ts'un* « rides ».

P'o-mo « encre éclaboussée » : peindre à larges coups de pinceau imbibé d'encre ; les traits tracés ressemblent à des éclaboussures plus ou moins marquées et sans contour.

Hsüan-jan: le lavis ou l'art de se servir de l'Encre diluée et mouillée pour suggérer les nuances tonales de l'atmosphère.

> Wang Wei Dans l'ordre pictural, la peinture à l'Encre (le lavis) est supérieure entre toutes. Elle capte l'essence de la Nature et parachève l'œuvre de la Création.
>
> Pu Yen-t'u Lorsque le pouvoir divin opère, le Pin-

ceau-Encre atteint la Vacuité. Alors, il y a Pinceau par-
delà le Pinceau, Encre par-delà l'Encre. On n'a plus qu'à
agir selon le rythme de son cœur et il n'est rien qui ne
fasse merveille. Car c'est là l'œuvre du Ciel... L'art de
l'Encre, il est magique et quasiment surnaturel!... C'est
avec les Six Couleurs de l'Encre que le peintre incarne
les lois de la Création. Ce qu'on appelle « Sans-Encre »
n'est pas tout à fait dénué d'encre; c'est un prolongement de « sèche-diluée ». Tandis que « sèche-diluée »
reste encore marquée par le « plein », « sans-encre » est
totalement vide. Il existe un état intermédiaire *ch'iu-jan*
qui consiste à suggérer le Vide par le Plein. En alternant
Vide et Plein, on épuise les potentialités de l'Encre. S'il
est aisé au Pinceau-Encre de peindre le Visible, le Plein,
il lui est plus difficile de représenter l'Invisible, le Vide.
Entre Montagne et Eau, la lumière des fumées et
l'ombre des nuées sont sans cesse changeantes. Tantôt
elles apparaissent, tantôt, elles s'estompent. En plein
éclat ou dissimulées, elles recèlent en leur sein le Souffle
et l'Esprit. Les Anciens cherchaient par tous les moyens
à en sonder le mystère : par le Pinceau-sans-Pinceau
pour en capter le Souffle et par l'Encre-sans-Encre pour
en saisir l'Esprit.

TING KAO   Toute chose dans l'univers est dominée par
le Yin-Yang. Pour la lumière, le clair est Yang, l'obscur
est Yin. Pour les habitations, l'extérieur est Yang et
l'intérieur Yin; pour les objets, le haut est Yang et le bas
Yin, etc. Si l'on veut rendre les effets du Yin-Yang, il
faut que dans le Pinceau, il y ait le Vide-Plein. De plus,
comme il y a du Yang à l'intérieur du Yin et du Yin à
l'intérieur du Yang, il faut également que dans le
Pinceau, il y ait du Vide dans le Plein et du Plein dans le
Vide. Le Vide qu'incarne l'Encre diluée représente le
processus qui va de l'Avoir au Rien; tandis que le Plein
incarné par l'Encre concentrée marque les traces et les
formes. Dans la peinture comme dans l'univers, le Vide
est la « vêture » du Yang et le Plein le cœur du Yin.

T'ANG I-FEN   L'Encre, « éclatée », fait naître une saveur
infinie; la couleur, appliquée claire, engendre la non-
trace. On s'efforce de varier les couleurs pour rompre la

monotonie, mais sait-on qu'une couleur unique peut être changeante à l'infini ? Cette unique couleur permet en elle-même de distinguer le Yin du Yang. Et combien supérieure encore est la beauté ineffable de l'état sans couleur !... Parmi les Six Espèces d'encre : la Noire et la Blanche pour cerner le clair et l'obscur du paysage ; la Sèche et la Mouillée pour suggérer le coloris nuancé et la fraîcheur gracieuse du paysage ; la Concentrée et la Diluée pour souligner la distance et les reliefs du paysage. Dans un tableau de paysage, le côté lumineux des montagnes et des rochers, la surface d'un terrain en pente, les étendues d'eau, le ciel immense, le Vide que seules habitent les brumes et les fumées, tout cela peut être suggéré par la couleur originelle du papier. Par ailleurs, c'est la Blanche qu'on utilise pour représenter l'air, l'eau, les lambeaux de fumées, les bouquets de nuages, les chemins, la clarté solaire, etc. La Blanche, c'est à la fois la Couleur et le Vide ; on n'en épuise pas la saveur.

WANG YU   Il s'agit, pour obtenir un effet merveilleux, de jouer de l'Encre de telle manière que là où s'arrête le Pinceau, soudain, surgisse « autre chose ».

3. MONTAGNE-EAU

En chinois, l'expression Montagne-Eau signifie, par extension, le paysage. Et la peinture paysagiste se dit « peinture de Montagne et d'Eau ». Il s'agit donc d'une synecdoque qui, pour figurer un tout, n'en choisit qu'une partie représentative. La Montagne et l'Eau constituent, aux yeux des Chinois, les deux pôles de la nature ; ils sont chargés d'une riche signification. (A partir de cette section, c'est essentiellement la peinture paysagiste qui sera étudiée.)

Citons d'emblée la célèbre phrase de Confucius :

« L'homme de cœur s'enchante de la montagne ; l'homme d'esprit jouit de l'eau[1]. » Aux deux pôles de l'univers correspondent donc les deux pôles de la sensibilité humaine. On sait que les Chinois aiment à établir certaines correspondances entre les vertus des choses de la nature et les vertus humaines. C'est ainsi par exemple que l'on accorde le statut de *chün-tzu* « homme supérieur » aux orchidées, bambous, sapins et prunus pour leurs vertus respectives de grâce, de rigueur, de jeunesse et de noble beauté. Il ne s'agit pas là d'un simple symbolisme naturaliste ; car ce que visent ces correspondances, c'est la communion à travers laquelle l'homme inverse la perspective en intériorisant le monde extérieur[2]. Celui-ci ne se trouve plus seulement en face ; il est vu de l'intérieur et devient les expressions mêmes de l'homme, d'où l'importance accordée aussi aux « attitudes », aux « gestes » et aux « rapports mutuels », lorsqu'on peint des groupes de montagnes, d'arbres ou de rochers. Dans ce contexte, peindre la Montagne et l'Eau, c'est faire le portrait de l'homme, non pas tant son portrait physique (encore que cet aspect n'en soit pas absent), mais plus encore celui de son esprit : son rythme, sa démarche, ses tourments, ses contradictions, ses frayeurs, sa joie paisible ou exubérante, ses désirs secrets, son rêve d'infini, etc. Ainsi, la Montagne et l'Eau ne doivent pas être prises pour de simples termes de comparaison ou de pures métaphores ; elles incarnent les lois fondamentales de l'univers macrocosmique qui entretient des liens organiques avec le microcosme qu'est l'Homme[3].

1. *Entretiens de Confucius,* chap. VI, 21.
2. Cette idée est exprimée en chinois par le mot *ch'ing-ching* « sentiment-paysage ».
3. La peinture classique chinoise, cependant, a négligé l'aspect tragique de la vie humaine ; cet aspect a été pris en charge, dans une certaine mesure, par la peinture bouddhique.

De cette conception vitale surgit la signification profonde de la Montagne-Eau, signification que nous avons déjà évoquée à plusieurs reprises dans l'Introduction et dans le chapitre I : par la richesse de leur contenu, par le rapport de contraste et de complémentarité qu'elles entretiennent, la Montagne et l'Eau deviennent les principales figures de la transformation universelle. L'idée de transformation est fondée sur la conviction que, malgré l'apparente opposition entre les deux entités, celles-ci ont une relation de devenir réciproque. Chacune est, en effet, perçue comme un état sans cesse attiré par l'autre qui lui est complémentaire. Tout comme le Yang qui contient du Yin et le Yin qui contient du Yang, la Montagne, marquée par le Yang, est virtuellement Eau, et l'Eau, marquée par le Yin, est virtuellement montagne.

SHIH-T'AO   La Mer possède le déferlement immense, la Montagne possède le recel latent. La Mer engloutit et vomit, la Montagne se prosterne et s'incline. La Mer peut manifester une âme, la Montagne peut véhiculer un rythme. La Montagne, avec la superposition de ses cimes, la succession de ses falaises, avec ses vallées secrètes et ses précipices profonds, ses pics élevés qui pointent brusquement, ses vapeurs, ses brumes et ses rosées, ses fumées et ses nuages, fait penser aux déferlements, aux engloutissements et aux jaillissements de la Mer ; mais tout cela n'est pas l'âme que manifeste la Mer elle-même : ce sont seulement celles des qualités de la Mer que la Montagne s'approprie.
La Mer, elle aussi, peut s'approprier le caractère de la Montagne : l'immensité de la Mer, ses profondeurs, son rire sauvage, ses mirages, ses baleines qui bondissent et ses dragons qui se dressent, ses marées en vagues successives comme des cimes : voilà tout ce par quoi la Mer s'approprie les qualités de la Montagne, et non la Montagne celles de la Mer. Telles sont les qualités que

Mer et Montagne s'approprient, et l'Homme a des yeux pour le voir... Mais celui qui ne saisit la Mer qu'au détriment de la Montagne, ou la Montagne qu'au détriment de la Mer, celui-là en vérité n'a qu'une perception obtuse ! Mais moi, je perçois ! La Montagne, c'est la Mer, et la Mer, c'est la Montagne. Montagne et Mer connaissent la vérité de ma perception : tout réside en l'Homme, par le libre élan du seul Pinceau, de la seule Encre !

Ce processus de devenir réciproque suscite le mouvement circulaire que Shih-t'ao appelle *chou-liu* « universel écoulement » et *huan pao* « universel embrassement » :

Il ne faut rien moins qu'user de la Montagne pour voir la largeur du monde ; il ne faut rien moins qu'user de l'Eau pour voir la grandeur du monde ; il faut que la Montagne s'applique à l'Eau pour que se révèle l'Universel écoulement ; il faut que l'Eau s'applique à la Montagne pour que se révèle l'Universel embrassement. Si cette action réciproque de la Montagne et de l'Eau n'est pas exprimée, rien ne peut expliquer cet Universel écoulement et cet Universel embrassement. Sans ceux-ci, la discipline et la vie (de l'Encre et du Pinceau) ne peuvent trouver leur champ d'action ; mais du moment que la discipline et la vie s'exercent, l'Universel écoulement et l'Universel embrassement trouvent leur cause et, une fois qu'ils ont trouvé leur cause, la mission du Paysage se trouve parachevée.

Comment faire pour que, dans un tableau, entre Montagne et Eau, s'opère ce mouvement circulaire ? Par l'introduction du Vide, sous forme d'espace libre, de brumes et nuages, ou encore simplement de traits déliés et d'encre diluée. Le Vide rompt l'opposition statique entre les deux entités, et par le souffle qu'il engendre, suscite la transformation interne. Pour ce qui est plus particulièrement des nuages, nous avons dit qu'ils sont l'élément par excellence susceptible de créer cette impression d'attraction dynamique grâce à laquelle la Montagne semble tendre vers l'Eau et l'Eau vers la Montagne. (Mi Fu : « Les nuages sont la récapitulation du paysage, car dans leur Vide insaisissable, on voit beaucoup de traits de montagnes et de méthodes d'eau qui s'y dissimulent. »)

C'est dans cette relation Montagne-Eau animée par le Vide que se situe une notion fondamentale régissant à la fois la peinture et la géomancie : *lung-mai* « artères de dragon », notion qui entraîne, à son tour, celle de deux autres binômes : *k'ai-ho* « ouverture-fermeture ou organisation contrastive de l'espace » et *ch'i-fu* « montée-descente ou séquence rythmique du paysage ». L'image des artères du dragon évoque, une fois de plus, un paysage dynamique, mû par les souffles vitaux, et dont l'ondulation rythmique révèle, plus encore que ce qui est manifesté, ce qui est caché et virtuel. Un tableau n'est vivant que si le peintre a maîtrisé le *k'ai-ho* et le *ch'i-fu*.

Ce qui est vrai pour la relation entre Montagne et Eau l'est aussi pour celle qui existe entre les autres éléments de la nature (notamment entre arbres et rochers, entre animaux et plantes). C'est chaque fois au moyen du Vide que le peintre fait sentir les pulsations de l'invisible dans lequel baignent toutes choses.

4. HOMME-CIEL

Nous venons de voir, comment dans le couple Montagne-Eau le Vide agit au cœur d'un paysage représenté par ses deux pôles. Élargissant notre regard, nous allons observer le rapport, dans un tableau de paysage, entre l'ensemble des éléments peints et l'espace qui les environne, les porte. Ce rapport entre les pleins (les éléments peints) et les vides (l'espace environnant) implique en réalité un autre rapport essentiel, celui qui existe entre la Terre et le Ciel. Si la Montagne et l'Eau représentent les deux pôles terrestres, la Terre, en tant qu'unité vivante, se situe à son tour par rapport au Ciel. Il existe ainsi un jeu de contrastes à plusieurs étages, jeu du Yin et du Yang tel qu'il est conçu dans la pensée chinoise. On accorde en général la nature Yang à la Montagne et la nature Yin à l'Eau; ce couple Montagne-Eau (Yang-Yin) forme la terre qui, elle, est de nature Yin, face au ciel, de nature Yang. L'important est donc de distinguer les niveaux, lesquels constituent un réseau organique qu'on peut ainsi figurer (cette figure en spirale est valable aussi pour suggérer d'autres « sous-niveaux » toujours impliqués à l'intérieur même de chaque niveau).

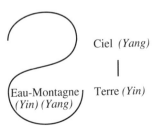

Ciel *(Yang)*

Terre *(Yin)*

Eau-Montagne
(Yin) (Yang)

Le jeu entre la Terre et le Ciel n'est pas un jeu à deux mais à trois, car à ce niveau, l'Homme est toujours présent, par ses liens privilégiés avec la Terre certes, par la dimension du Ciel qu'il possède aussi, et surtout par le regard qu'il (le peintre ou le spectateur) pose sur le paysage total dont il est en même temps partie intégrante. Dans cette relation ternaire (Homme-Terre-Ciel), plusieurs aspects, ayant pour facteur commun le Vide qui en assure l'unité et la totalité, semblent mériter notre attention : a) la disposition « mentale » des éléments dans un tableau ; b) la perspective ; c) l'inscription d'un poème dans l'espace.

a) La disposition «mentale» des éléments dans un tableau

En parlant des Six Canons de la peinture proposés par Hsieh Ho, nous avons cité le plus célèbre d'entre eux : engendrer et animer le souffle rythmique. Tout aussi important nous paraît être cet autre Canon : disposer souverainement les éléments à peindre. Ce Canon qui a trait au problème de l'organisation interne du tableau ne prêche pas une disposition subjective ou arbitraire. Le peintre, tout en imposant sa perception des choses, doit tenir compte des lois fondamentales du Réel. L'idée de ce Canon est que la peinture ne saurait se contenter de reproduire l'aspect extérieur du monde ; elle doit recréer un univers né à la fois du Souffle primordial et de l'esprit du peintre.

Dans cette optique, on voit à nouveau l'importance du jeu plein-vide. Selon une règle traditionnelle : « Dans un tableau, un tiers de plein, deux tiers de vide. » Cette règle, bien entendu, n'a rien de rigide. Ce qui est à souligner, c'est une fois encore la pensée philosophique qui la sous-tend. Comme le tiers de plein correspond, en réalité, à la Terre (aux éléments terrestres) et les deux tiers de vide au Ciel (aux éléments célestes et au Vide), la proportion harmonieuse établie entre le Ciel et la Terre est celle même que l'Homme tente d'établir en lui-même, étant investi des vertus du Ciel-Terre. Ainsi, le tableau concrétise le désir de l'Homme qui, ayant assumé la Terre, tend vers le Ciel afin d'atteindre le Vide, lequel entraîne le tout dans le mouvement vivifiant du Tao.

CHANG SHIH   Sur un papier de trois pieds carrés, la partie (visiblement) peinte n'en occupe que le tiers. Sur le reste du papier, il semble qu'il n'y ait point d'images ; et pourtant, les images y ont une éminente existence. Ainsi, le Vide n'est pas le rien. Le Vide est tableau.

CHIANG HO   Le charme du Plein ne se révèle que par le Vide. De la qualité d'un tableau, les trois dixièmes résident dans la disposition appropriée du Ciel et de la Terre, et les sept dixièmes dans la présence discontinue des brumes-fumées.

WU CH'ENG-YEN   Pour un tableau paysagiste, il faut tenir compte du format. Un tableau de petit format se regarde horizontalement ; il convient de ne pas le remplir. Un tableau de grand format se présente verticalement, il convient d'éviter qu'il soit « trop vide ». En résumé, le petit format doit être habité par le Vide, tandis que le grand format gagne à être dominé par un Plein tempéré par le Vide.

FAN CHI   Dans la peinture, on fait grand cas de la notion de Vide-Plein. C'est par le Vide que le Plein parvient à manifester sa vraie plénitude. Cependant, que de malentendus il convient de dissiper ! On croit en général qu'il suffit de ménager beaucoup d'espace non peint pour créer du vide. Quel intérêt présente ce vide s'il s'agit d'un espace inerte ? Il faut en quelque sorte que le vrai Vide soit plus pleinement habité que le Plein. Car c'est lui qui, sous forme de fumées, de brumes, de nuages ou de souffles invisibles, porte toutes choses, les entraînant dans le processus de secrètes mutations. Loin de « diluer » l'espace, il confère au tableau cette unité où toutes choses respirent comme dans une structure organique.

Le Vide n'est donc point extérieur au Plein, encore moins s'oppose-t-il à celui-ci. L'art suprême consiste à introduire du Vide au sein même du Plein, qu'il s'agisse d'un détail ou d'une composition d'ensemble. Il est dit : « Tout trait de pinceau doit être précédé et prolongé par l'idée [ou l'esprit]. » Dans un tableau mû par le vrai Vide, à l'intérieur de chaque trait, entre les traits, et jusqu'au cœur de l'ensemble le plus dense, les souffles dynamiques peuvent et doivent librement circuler.

HUANG PIN-HUNG   Peindre un tableau, c'est comme jouer aux échecs (au jeu de Go). On s'efforce de disposer sur l'échiquier des « points disponibles ». Plus il y en a, plus on est sûr de gagner. Dans un tableau, ces points disponibles, ce sont les vides... En peinture, on fait grand cas du Vide : du grand Vide et du petit Vide. C'est par allusion à cela que les Anciens disaient : L'espace peut être rempli au point que l'air n'y passe pas, tout en contenant des vides tels que les chevaux peuvent y gambader à l'aise.

b) La perspective

La perspective est inhérente au Canon : « disposer souverainement les éléments à peindre » ; car elle est avant tout, elle aussi, une organisation mentale. Elle se résume en deux binômes : *li-wai* « Intérieur-Extérieur »[1]

1. Ce binôme a trait à la représentation d'éléments comportant des contrastes d'intérieur et d'extérieur : montagne, rocher, habitation humaine. A propos de cette dernière, signalons un fait important : dans la tradition chinoise, il n'existe pratiquement pas de « scène d'intérieur » fermée. Tout intérieur s'ouvre vers l'extérieur et une habitation est vue à la fois du dedans et du dehors.

et *yuan-chin* « Lointain-Proche », qui disent clairement que tout est affaire d'équilibre et de contraste. Différente de la perspective linéaire qui suppose un point de vue privilégié et une ligne de fuite, la perspective chinoise est qualifiée tantôt d'aérienne, tantôt de cavalière. Il s'agit, en effet, d'une double perspective. Le peintre, en général, est censé se tenir sur une hauteur, jouissant ainsi d'une vision globale du paysage (pour montrer la distance entre les choses baignant dans un espace atmosphérique, il use des contrastes de volume, de forme et de tonalité) ; mais en même temps, il semble se mouvoir à travers le tableau, épousant le rythme d'un espace dynamique et contemplant les choses de loin, de près et de différents côtés (ainsi, les montagnes sont souvent vues à la fois d'une certaine hauteur et de face ; celles du lointain peuvent paraître plus grandes que celles du premier plan. De même, le mur principal et le mur latéral ainsi que l'intérieur et l'extérieur de certaines habitations sont montrés en même temps). Rappelons à ce sujet la conception du « microcosme-macrocosme ». Le peintre vise à créer un espace médiumnique où l'homme rejoint le courant vital ; plus qu'un objet à regarder, un tableau est à vivre. La double perspective dont nous venons de parler traduit le désir de l'artiste chinois de vivre l'essence de toutes choses de l'univers, et par là même, de s'accomplir. Le grand peintre Kuo Hsi, des Sung, dit : « Il est des paysages peints qu'on traverse ou qu'on contemple ; d'autres dans lesquels on peut se promener ; d'autres encore où l'on voudrait demeurer ou vivre. Tous ces paysages atteignent le degré d'excellence. Toutefois, ceux où l'on voudrait vivre sont supérieurs aux autres. » Par ailleurs, il dit encore : « Tel est le désir provoqué par la peinture. On est tenté de s'engager dans le sentier qui serpente à travers la fumée bleutée ; ou de jeter un coup d'œil sur le reflet du couchant dans la rivière paisible ; on aimerait vivre l'expérience des ermites dans leur retraite au cœur de la montagne ou se promener parmi les rochers surgis des falaises escarpées. La peinture doit susciter, en celui qui la contemple, le désir de s'y trouver ; et l'impression du merveilleux qu'elle engendre la dépasse, la transcende. »

Le problème qui préoccupe avant tout un peintre est celui du rapport et de la proportion. Dans son *Shan-shui-fu*, Wang Wei dit :

En peignant un tableau de paysage, l'Idée doit précéder le Pinceau. Pour la proportion : hauteur d'une montagne, dix pieds ; hauteur d'un arbre, un pied ; taille d'un cheval, un dixième de pied ; taille d'un homme, un centième de pied. Concernant la perspective : d'un homme à distance, on ne voit pas les yeux ; d'un arbre à distance, on ne distingue pas les branches ; sur une montagne lointaine aux contours doux comme un sourcil, nul rocher n'est visible ; de même nulle onde sur une eau lointaine, laquelle touche l'horizon des nuages. Quant au rapport qui existe entre les éléments : la montagne se ceint de nuages ; les rochers recèlent des sources ; pavillons et terrasses sont environnés d'arbres ; les sentiers portent des traces d'hommes. Un rocher doit être vu de trois côtés ; un chemin peut être pris par ses deux bouts ; un arbre s'appréhende par sa cime ; une eau se sent par le vent qui la parcourt. Considérer en premier lieu les manifestations atmosphériques. Distinguer le clair et l'obscur, le net et le flou. Établir la hiérarchie entre les figures ; fixer leurs attitudes, leur démarche, leurs saluts réciproques. Trop d'éléments, c'est le danger de l'encombrement ; trop peu, c'est celui du relâchement. Saisir donc l'exacte mesure et la juste distance. Qu'il y ait du vide entre le lointain et le proche, cela aussi bien pour les montagnes que pour les cours d'eau.

Par la suite, la tradition distingue, à propos de la perspective, trois lointains, ou trois distances (voir illustrations page suivante).

1. *Shen-yuan* « distance profonde » : de beaucoup la plus employée. Le spectateur est censé être sur une hauteur d'où il a une vue plongeante et panoramique sur le paysage (les exemples les plus typiques en sont les œuvres de Tung Yuan).

2. *Kao-yuan* « distance élevée » : ordinairement utilisée dans un tableau vertical. Le spectateur, se trouvant à un niveau relativement bas, regarde vers le haut. L'horizon dominant du tableau est par conséquent peu élevé ; et le regard du spectateur suit l'étagement des hauteurs représentées par différentes rangées de montagnes superposées, chaque rangée constituant un horizon en soi.

3. *P'ing-yuan* « distance plate » : d'une position proche, la vue du spectateur s'étend en toute liberté à l'infini.

Dans les tableaux de grand format, pour montrer un paysage panoramique, chacune des « distances » comporte, à son tour, trois sections internes, lesquelles, contrastant entre elles, accentuent l'impression de distance. Prenons le *kao-yuan* « distance élevée » : les rangées de montagnes superposées sont en général au nombre de trois. De même, dans le *shen-yuan* « distance profonde », le tableau est souvent occupé par trois groupes de montagnes qui s'étendent de plus en plus loin. Les trois sections qui composent ainsi chaque distance sont séparées par des vides, en sorte que le spectateur, invité à pénétrer en esprit dans le tableau, a l'impression de faire chaque fois un saut d'une section à l'autre. Saut qualitatif, car ces vides ont justement pour fonction de suggérer un espace non-mesurable, un espace né de l'esprit ou du rêve. La ran-

距春倫身而忽走
矣然遠欲其高
當以泉高之
雁落以何
平遠之
遠欲其
非高而
深欲其
明當青鎮
云深而
非深明煙
玉女青遠
明雲岡以何
華子之谷平
意公非非遠
遠而何

深遠法

distance
profonde

平遠法

distance
plate

山有三遠法
仰其高田而遠自
前而窺其後曰
深遠自近而望
高遠自近而望
元遠望遠之意
沖融而縹縹
深而不致
遠則浮平而
不遠則近此
山水中惠此几
之望人遠望典
優皇雖人下之骨
山中人惟有畫塵

高遠法

distance
élevée

donnée du spectateur à travers le paysage devient alors une randonnée spirituelle ; il est porté par le courant vital du Tao.

Ainsi, si le niveau précédent Montagne-Eau est marqué par le nombre Deux qui signifie la mutation interne, ce niveau-ci Homme-Ciel est marqué par le nombre Trois qui signifie le Multiple (« Le Trois engendre Dix mille êtres »), mais en même temps l'Unité. En effet, le Trois, en déclenchant le processus proche-lointain et lointain-infini, entraîne finalement celui du Retour (*Lao-tzu* (chap. xxv) : « Étant grande, la Voie s'écoule ; s'écoulant, elle va plus loin ; au loin en allée, elle finit par opérer le Retour. ») Le mouvement d'éloignement dans l'espace est en fait un mouvement circulaire qui revient et qui, par le renversement de la perspective et du regard, transforme finalement la relation du sujet-objet. (Le sujet se projetant, par degré, au-dehors ; et le dehors devenant le paysage intérieur du sujet.)

c) Inscription d'un poème dans le tableau

Cette pratique, inaugurée dès les T'ang, est devenue constante à partir de la fin des Sung. Le poème inscrit dans l'espace blanc d'un tableau (le Ciel) n'est pas un simple commentaire artificiellement ajouté ; il habite véritablement l'espace (il n'y a point d'hiatus entre les signes calligraphiés et les éléments peints, tous les deux étant du même pinceau) en y introduisant une dimension vivante, celle du Temps. Au sein d'un tableau marqué par l'espace à trois dimensions, le poème, par son rythme, par son contenu qui relate une expérience vécue, révèle le processus par lequel la pensée du peintre aboutit au tableau ; et par l'écho qu'il suscite, prolonge encore le tableau. Temps au rythme vécu et toujours renouvelé, Temps qui maintient l'Espace ouvert. Le poème inscrit permet ainsi à l'homme, même s'il n'est pas figurativement représenté, de marquer sa présence au sein du Ciel-Terre. Grâce à lui aussi, le jeu Plein-Vide peut révéler sa signification profonde qui est de favoriser, par-delà les contradictions et les transformations, la Totalité.

5. LA CINQUIÈME DIMENSION

A travers les quatre niveaux observés jusqu'ici (Pinceau-Encre ──▶Yin-Yang ──▶Montagne-Eau ──▶Homme-Ciel), nous avons suivi un développement en spirale ; car il s'agit d'un mouvement qui à la fois tourne sur soi et s'ouvre à l'infini. Dans le dernier niveau (Homme-Ciel), nous avons pu constater cette recherche d'une symbiose du Temps et de l'Espace, et par là, de l'homme et de l'univers. Compte tenu de cette constatation, il y a lieu de parler d'une sorte de Cinquième Dimension (par-delà l'Espace-Temps) que représente le Vide à son degré suprême. A ce degré, le Vide, en même temps qu'il en est le fondement, transcende l'univers pictural en le portant vers l'unité originelle.

Cette unité du Vide, pour insaisissable qu'elle puisse paraître, nous tenterons pourtant de l'appréhender en sa « matérialité ». Nous pensons notamment au papier-support du tableau et au geste du spectateur qui déroule le rouleau du tableau.

Concevoir le papier vierge comme le Vide originel par où tout commence, le premier Trait tracé comme l'acte de séparer le Ciel et la Terre, les traits qui suivent et qui engendrent au fur et à mesure toutes formes comme de multiples métamorphoses du premier Trait, et enfin, l'achèvement du tableau comme le degré suprême d'un développement par lequel les choses retournent au Vide originel, c'est ce qui régit, durant les hautes époques, la pensée de tout artiste chinois, c'est ce qui transforme l'acte de peindre en l'acte d'imiter, non pas les spectacles de la Création, mais les « gestes » mêmes du Créateur.

> HUA LIN   Quand la peinture arrive au point où elle est sans trace, elle semble sur le papier comme une émanation naturelle et nécessaire de ce papier qui est le Vide même.

> WANG YU   Le Vide pur, voilà l'état suprême auquel tend tout artiste. C'est seulement lorsqu'il l'appréhende d'abord dans son cœur qu'il peut y parvenir. Comme dans l'illumination du Ch'an (Zen), soudain, il s'abîme dans le Vide éclaté.

> CHENG HSIEH   Le tableau est sur le papier certes ; il y a ce qui est hors du papier que l'invisible prolonge et purifie.

> HUANG PIN-HUNG   Les Anciens, lorsqu'ils peignaient, concentraient leurs efforts sur l'espace où est absent le Pinceau-Encre ; c'est ce qu'il y a de plus difficile. « Conscience du Blanc, contenance du Noir », unique voie qui accède au Mystère.

Et le retour, c'est le tableau achevé. Enroulé, il devient l'univers fermé sur soi. Le dérouler, c'est créer chaque fois (pour le spectateur qui participe) le miracle de dénouer le Temps, de revivre son rythme vécu et dominé. (Rappelons qu'en Chine, le déroulement et la contemplation d'un chef-d'œuvre, durant des heures, constituent un rituel presque sacré.) A mesure que le tableau se déroule, ce Temps vécu se spatialise, non pas en un cadre abstrait, mais en un espace qualitatif et incommensurable. Ce que cherche avant tout l'artiste chinois, c'est donc de traduire le Temps vécu en espace vivant, mû par les souffles et où se déroule la vraie vie. Est-il besoin d'insister, une fois encore, sur le fait que cette mutation du Temps-Espace n'est possible que grâce au Vide ? Dans le développement linéaire et temporel du tableau, le Vide introduit la discontinuité interne ; et par le renversement des rapports Intérieur-Extérieur, Lointain-Proche, Manifesté-Virtuel, il inaugure le processus réversible du Retour, lequel signifie la « reprise en charge » de toute la vie remémorée ou rêvée, sans cesse jaillissante.

La dernière vision de cet art serait plus musicale que picturale. Comme l'affirme le *Livre de la musique* : « La Voie du Rite et de la Musique est celle même du Ciel et de la Terre », cette musique visuelle, par son double aspect, mélodique et harmonique, rejoint le Souffle primordial dont procède le rythme irrésistible de l'univers.

Liste récapitulative
des termes techniques

Indiquons tout d'abord les quatre notions fondamentales pour tous les niveaux :

Ch'i 氣 [souffles vitaux] : d'après la cosmologie chinoise, l'univers créé procède du Souffle primordial et des souffles vitaux qui en dérivent. D'où l'importance, en art comme dans la vie, de restituer ces souffles. « Animer les souffles harmoniques », canon formulé par Hsieh Ho au début du VIᵉ siècle, est devenu ainsi la règle d'or de la peinture chinoise.

Li 理 [principe ou structure interne] : la primauté accordée aux souffles vitaux permet à l'artiste de dépasser son penchant pour un illusionnisme trop réaliste. Il s'agit pour lui moins de décrire les aspects extérieurs du monde que de saisir les principes internes qui structurent toutes choses et qui les relient les unes aux autres.

I 意 : Ce terme riche de sens ne peut être rendu en français que par une série de mots tels que : idée, désir, pulsion, intention, conscience agissante, juste vision, etc. Il concerne la disposition mentale de l'artiste au moment de la création, d'où l'adage : « Le *i* doit précéder le pinceau et le prolonge. » Dans l'optique chinoise, cette part de l'homme ne relève pas de l'arbitraire d'une pure subjectivité. C'est seulement dans la mesure où l'artiste, par le truchement du *ch'i* et du *li*, a intériorisé le *i* [intentionnalité] qui habite toutes choses que son *i* à lui peut être réellement souverain et efficient.

Shen 神 [âme, esprit, essence divine] : la création artistique n'est pas une simple adéquation entre l'homme et l'univers. Le génie humain, par son action dans le processus du Tao, provoque le mystérieux devenir qu'incarne le *shen*

NIVEAU I   PINCEAU-ENCRE

Ce niveau concerne tout le travail du pinceau. Le maniement même d'un pinceau a fait l'objet de recherches très raffinées. Concernant le corps de l'artiste, on parle du *shih-chou* 實肘 [bras plein], du *hsü-wan* 虛腕 [poignet vide] et du *chih-fa* 指法 [méthode des doigts], etc. Concernant le mouvement du pinceau, on distingue *cheng-feng* 正鋒 [attaque frontale], *ts'eu-feng* 側鋒 [attaque oblique], *che-pi* 折筆 [à rebrousse-poil], *heng-pi* 橫筆 [à poils couchés], *an* 按 [en pressant], *t'i* 提 [en soulevant], *t'uo* 拖 [en traînant], *ts'a* 擦 [en frottant], *ch'i-fu* 起伏 [en mouvement ondulé], *tun-ts'o* 頓挫 [en cadence syncopée], etc. Quant aux types de traits issus du tracé du pinceau, ils sont d'une grande variété, comme le montrent les termes ci-contre. Rappelons qu'un trait n'est pas une simple ligne ; avec son attaque et sa poussée, son plein et son délié, il incarne à la fois forme et volume, tonalité et rythme. En tant qu'unité vivante, tout trait doit posséder le *ku-fa* 骨法 [ossature], le *ching-jou* 筋肉 [muscle et chair], le *huo-li* 活力 [force] et le *shen-ch'ing* 神情 [expression].

kou-le	勾勒	tracé du contour d'un objet
pai-miao	白描	tracé des figures en lignes continues et unies, juste renforcées par endroits
mu-ku	沒骨	trait « pointilliste » ou « tachiste », utilisé surtout pour dessiner les fleurs
kung-pi	工筆	dessin régulier et appliqué, dans le style académique
kan-pi	乾筆	trait tracé au pinceau imbibé de peu d'encre
fei-pai	飛白	trait tracé rapidement au gros pinceau ayant les poils écartés, lacéré de blanc en son milieu
ts'un	皴	traits modelés de types très variés (on peut en dénombrer une trentaine), les deux plus importants étant le *p'i-ma* 披麻 [chanvre démêlé] et le *fu* 斧 [à la hache]
tien-t'ai	點苔	ajouter des points pour rendre vivant un trait ou une figure (rocher, arbre, montagne, etc.). Les points eux-mêmes doivent être vivants et variés : « Chaque point est un grain vivant promis à de futures métamorphoses. »

NIVEAU II   OBSCUR (YIN) – CLAIR (YANG)

Ce niveau concerne le travail extensible de l'encre pour marquer les tonalités et, par-là, la distance et la profondeur. De l'encre, la tradition distingue cinq nuances : *chiao* 焦 [noire brûlée], *nung* 濃 [concentrée], *chung* 重 [foncée], *tan* 淡 [diluée], *ch'ing* 清 [claire] ; ou six nuances formant trois couples contrastifs : *kan-shih* 乾濕 [sèche-mouillée], *tan-nung* 淡濃 [diluée-concentrée], *pai-hei* 白黑 [blanche-noire]. Rap-

pelons que, à côté de l'encre, les couleurs, à base miné-
rale ou végétale, sont utilisées aussi dans la peinture
chinoise pour rehausser les effets de l'encre ; un genre
spécifique qui se sert de couleurs somptueuses porte le
nom de *chin-pi* 金碧 [or-jade].

jan	染	application graduelle de l'encre
hsüan	渲	au lavis
weng	㴇	profondément imbibé
p'o-mo	破墨	« encre brisée »
p'o-mo	潑墨	« encre éclaboussée »
chi-mo	積墨	« encres superposées »

NIVEAU III   MONTAGNE-EAU

Ce niveau concerne la structure des principaux
éléments d'un paysage à peindre, Montagne et Eau
représentant les deux pôles du Paysage. Tout comme
pour le simple trait, l'ensemble structuré d'un tableau
doit être envisagé comme un corps vivant ; c'est ainsi
que pour un paysage donné on parle d'ossature
(rochers), d'artères (cours d'eau), de muscles (arbres),
de respiration (nuages), etc.

ch'i-shih	氣勢	élan, poussée, lignes de force
lung-mai	龍脈	« artères de dragon », terme prove-nant de la géomancie et qui a trait à
	曰蹟	toute la configuration secrète d'un terrain
k'ai-ho	開合	« ouverture-clôture », organisation contrastive de l'espace
ch'i-fu	起伏	« montée-descente », séquence rythmique du paysage
yen-yun	烟雲	« brume-nuage », élément indis-

pensable d'un paysage. Le rôle du nuage n'est pas seulement ornemental. Comme l'a affirmé avec force Han Chuo 韓拙 des Sung, dans son *Shan-shui-ch'un ch'üan-chi* 山水純全集 : « Le nuage est la synthèse des monts et des eaux. » Étant formés de la vapeur d'eau et ayant la forme des monts, le nuage et la brume, dans un tableau, donnent l'impression d'entraîner les deux enti- tés que sont l'Eau et la Montagne dans le dynamique processus du devenir réciproque.

hsü-shih 虛實 vide-plein

yin-hsien 隱顯 invisible-visible

NIVEAU IV   HOMME-CIEL

Ce niveau concerne la relation ternaire Homme-Terre-Ciel qui régit le tableau en son entier : ce qui est contenu dans le paysage et ce qui le déborde, ce qui est vu et ce qui donne infiniment à voir.

li-wai   裏外 dedans-dehors, intérieur-extérieur

hsiang-pei 向背 face-dos, endroit-envers

chin-yuan 近遠 proche-lointain, fini-infini

san-yuan 三遠 trois types de perspective qui situent le rapport de l'homme et de l'univers : le *kao-yuan* 高遠 [perspective en hau- teur] (le spectateur se trouve au bas de la montagne et élève son regard vers le sommet et ce qui est au-delà), le *shen-*

yuan 深遠 [perspective en profondeur] (le spectateur se trouve sur une hauteur et jouit d'une vue panoramique plongeante) et le *p'ing-yan* 平遠 [perspective plane] (à partir d'une montagne proche, le spectateur dirige horizontalement son regard vers le lointain où le paysage s'étend à l'infini)

NIVEAU V CINQUIÈME DIMENSION

A ce niveau se situe la Vacuité qui transcende l'espace-temps, état suprême vers lequel tend tout tableau inspiré par le vrai. Pour cet ultime niveau, peu de qualificatifs sont adéquats. Il convient de citer deux expressions dont use l'artiste chinois pour jauger la valeur d'une œuvre et pour marquer – par-delà toutes les notions du beau – la visée ultime de l'art : le *i-ching* 意境 [densité d'âme] et le *shen-yun* 神韻 [résonance divine].

SECONDE PARTIE

L'art pictural chinois
à partir de l'œuvre
de Shih-t'ao

Chapitre premier

Shih-t'ao, célèbre peintre du début de la dynastie des Ts'ing (XVIIᵉ s. – XIXᵉ s.), est l'auteur des non moins célèbres *Propos sur la peinture*. S'il n'est pas rare, en Chine, que de grands peintres consignent par écrit leurs réflexions sur tel ou tel aspect de la peinture, les *Propos sur la peinture* frappent cependant par leur caractère systématique et synthétique. Leur importance est rehaussée par le fait qu'ils sont le produit d'une époque de profonds bouleversements, qui vit s'effondrer l'ordre ancien. Les artistes d'alors, provoqués par les événements, se trouvaient amenés à repenser la tradition, et à chercher d'autres voies pour s'affirmer. Shih-t'ao, en raison de son destin singulier et de sa nature complexe, fut sans doute celui qui réfléchit le plus intensément sur le problème de l'art et de la vie. En effet, si, à partir d'un certain âge, sa vie fut jalonnée de succès, le peintre n'en montra pas moins ses tourments, ses regrets, ses interrogations angoissées à travers de nombreuses inscriptions dans ses tableaux, inscriptions qui constituent d'ailleurs un document complémentaire à ses *Propos sur la peinture*[1]. D'autres faits de son existence contribuent à ren-

---

1. Ces inscriptions et poèmes ont été recueillis et publiés très tôt (en 1730) par Wang I-ch'en sous le titre de *Ta-ti-tze t'i-hua-shih pa.* Quant au texte de *Propos sur la peinture* il a également été publié par

forcer l'image d'un être en recherche constante, souvent en contradiction avec lui-même : sa vie d'errance, son statut social incertain, son besoin périodique de changer de nom, etc. Sa biographie, bien que sans lien direct avec notre propos, ne nous est donc pas indifférente. Rappelons-en ici quelques faits marquants.

Shih-t'ao, dont le nom véritable était Chu Jo-chi et le nom monastique Tao-chi, était de sang impérial : sa famille descendait du frère aîné de Chu Yuan-chang, fondateur de la dynastie des Ming. Bien que célèbre de son vivant, et en dépit des nombreux textes où Shih-t'ao se raconte, le lieu et la date de sa naissance restent sujets à controverse. On admet généralement qu'il est né en 1641, à Wu-chow, dans la province de Kuang-si, à l'extrême sud de la Chine.

En 1644, lorsque Shih-t'ao avait trois ans, les Mandchous occupèrent Pékin (capitale du Nord) et fondèrent une nouvelle dynastie, celle des Ts'ing. Les légitimistes Ming se réfugièrent à Nankin (capitale du Sud) ; mais la ville tomba l'année suivante. Le père de Shih-t'ao, Chu Hsiang-chia, se trouvant à Kui-lin, capitale de la province de Kuang-si, se proclama régent. Malheureusement, son autorité ne fut pas reconnue par les légitimistes, rangés aux côtés d'un autre prétendant. Ceux-ci prirent d'assaut Kui-lin et assassinèrent le père de Shih-t'ao. Le jeune enfant ne dut la vie sauve qu'au dévouement des serviteurs qui l'emmenèrent.

Pendant que les Mandchous brisaient les dernières résistances des Ming, Shih-t'ao grandit dans l'anonymat. Pour le protéger contre d'éventuelles répressions, on le confia à un monastère où on le fit moine. Par la suite, il

les soins de Wang I-ch'en, en 1731 Parmi les collections modernes où figure l'œuvre écrite de Shih-t'ao, signalons avant tout *Mei-shu ts'ung-shu.*

suivra l'enseignement de Lü-an Ben-yuëh, un maître du bouddhisme Ch'an (Zen). Mais très tôt, il révéla ses dons de peintre. Il se mit alors à voyager, se rendant en pèlerinage dans diverses montagnes célèbres, dont le mont Lu, dans le Chiang-hsi, et le mont Huang, dans le An-hui; il y fit de nombreux croquis. De 1666 à 1679, il se fixa plus ou moins à Hsüan-ch'eng, dans le An-hui.

A partir de 1680, pendant neuf ans, il vécut à Nan-kin et fit de fréquents séjours à Yang-chou, centre de commerce et d'art alors florissant. Sa position de peintre déjà connu l'obligea, à deux reprises, à assister aux cérémonies d'hommage à l'empereur K'ang-hsi lors des tournées que celui-ci fit dans le Sud de la Chine.

Grâce à ses relations avec certains hauts dignitaires du nouveau régime, amateurs de peinture, il se rendit à Pékin, la capitale, où il séjourna jusqu'en 1692. En 1693, il revint au Sud à Yang-chou où il se fixa définitivement. En pleine possession de son art et sollicité de tous, il jouit d'un prestige considérable. Par sa forte personnalité, et par son style fait d'un mélange de raffinement et d'extravagance, il exerça une influence décisive sur ses cadets, les Huit Excentriques de Yang-chou[1]. Il laissa une œuvre relativement abondante[2]: celle-ci, tout en cherchant à rejoindre la grande tradition des Sung et des Yuan, ouvrit, pour les générations futures, une nouvelle voie de recherche.

1. Titre donné au groupe de peintres du XVIIIe siècle qui, vivant à Yang-chou se remarquent par leur esprit rebelle aux conventions et leur individualisme à outrance. Il s'agit de Cheng Hsieh, Chin Nung, Luo Pin, Li Fang-ying, Wang Shih-shen, Kao Siang, Huang Shen et Li Shan.
2. Il est difficile d'évaluer le nombre exact des tableaux de Shih-t'ao conservés actuellement dans le monde, du fait de l'existence de nombreux faux. L'ensemble de ses œuvres peintes, composé d'albums et de tableaux de plus grand format, peut être réparti en trois époques : celle de Hsüan-ch'eng, celle de Nankin et celle de Yang-chou. A ce sujet, on peut consulter très utilement la chronologie de Shih-t'ao établie par Fu Pao-shih et le catalogue de l'exposition Shih-t'ao organisée en 1967 par le Museum of Art de l'université de Michigan.

Chapitre deux

Les éléments biographiques que nous venons de donner suggèrent un être plein d'ambiguïtés et de contradictions. Contradiction de ce descendant de la famille royale qui échappa, par miracle, au massacre lors du changement de dynastie et qui fut obligé, par la suite, de faire la cour aux maîtres du nouveau régime. Contradiction de ce moine errant adonné à la contemplation, tout en restant profondément attiré par le monde. Contradiction aussi de ce peintre soucieux de se référer constamment aux Anciens, et qui prônait en même temps une sorte d'individualisme à outrance.

Ces multiples contradictions, Shih-t'ao les assuma plus ou moins bien, non sans qu'elles aient provoqué en lui des sentiments de déchirement et de remords, comme le montrent nombre de ses poèmes inscrits dans ses tableaux. Ainsi, dans un avant-propos aux poèmes qu'il écrivit en 1701, en sa soixantième année, il notait : « Veille du Nouvel An, malade. Une pensée triste me remue jusqu'aux entrailles. Comment les paroles sauraient-elles exprimer tous mes regrets ? Père et Mère ont engendré ce corps mien il y a soixante ans. Mais qui suis-je donc ? Un homme ? Une femme ? Je pousse un cri, comme je l'ai fait à ma naissance. Ils (mes parents) se réjouissaient alors de ce que j'étais ; moi, n'étant ni herbe ni plante, ne disposait cependant d'aucun mot pour leur répondre. A présent, ce cœur qui bat, ce sang qui circule sauraient-ils prendre en charge les remords et les hontes de toute une vie ? O frayeur ! O affliction ! Cette triste pensée ne pourra plus s'adresser qu'au Ciel... »

Le drame que vécut Shih-t'ao fut, pour ainsi dire, une triple perte du Père : perte de son père par le sang, perte de la dynastie à laquelle il était lié et enfin perte de son maître spirituel qu'il dut « renier » en quittant, vers le milieu de sa vie, l'état de moine. D'où son besoin jusqu'à la fin de se trouver une identité. Fait significatif : la multiplicité des noms ou des pseudonymes qu'il se donna successivement ; au total une trentaine ! Certains noms traduisent l'état d'une période donnée ; d'autres les désirs profonds qui l'habitent. Sans pouvoir les citer tous, nous en donnons ici quelques échantillons : le Survivant de l'ancienne dynastie, le Vieillard de Ts'ing-hsiang, le Disciple de la Grande Pureté, le moine Citrouille Amère, le Vénérable Aveugle, etc. Par ailleurs, son nom officiel, celui que nous utilisons : Shih-t'ao, est très révélateur de l'état d'âme du peintre. Il signifie littéralement : Vague de pierres et semble marquer cette nostalgie propre à Shih-t'ao d'un monde des éléments en devenir, partagé entre l'état liquide et l'état solide. En outre, ce nom incarne excellemment la conception dynamique de la Transformation qui est à la base de la peinture chinoise.

C'est bien d'ailleurs dans la peinture que Shih-t'ao chercha sa voie d'accomplissement. Par-delà les conflits que la peinture, elle aussi, n'a pas manqué de susciter – obligations mondaines, révolte contre les Anciens, etc. – il se tourna néanmoins vers l'art pictural pour atteindre l'unité. Unité de l'homme et unité du monde qui, à travers le tracé même du Signe, ne font plus qu'un. De par son drame personnel, et grâce à sa forma-

tion à la fois bouddhiste, taoïste et confucianiste, Shih-
t'ao porta très haut son interrogation. Sa vie d'artiste
fut une constante recherche, non seulement sur des pro-
blèmes techniques, mais aussi sur le mystère même de
la création artistique et de la destinée humaine. Le
résultat en est cette œuvre de grande synthèse que sont
les *Propos sur la peinture.*

Chapitre trois

Loin de se limiter à des propos circonstanciels ou disparates, le texte de Shih-t'ao forme un système cohérent où s'interpénètrent pensée philosophique et pensée esthétique, toutes deux fruits d'une longue expérience pratique. Celle-ci s'est concrétisée, on le sait, par une importante œuvre peinte qui, sous l'apparence d'une grande variété, frappe elle aussi par son unité interne que vient renforcer un style profondément original. Nous sommes ainsi en présence de deux ensembles également structurés : d'une part, une théorie consciemment formulée et, d'autre part, une pratique menée jusqu'à son extrême limite. Ici nous constatons un fait paradoxal : chacun des deux ensembles forme un bloc si cohérent et si clos que, traditionnellement, les commentateurs suivent l'un ou l'autre sans jamais songer vraiment à les confronter.

Pourtant, à suivre le cheminement de Shih-t'ao, on croit deviner son intention secrète : pratique et théorie sont là pour se prolonger l'une l'autre, pour se dépasser mutuellement. Elles ne sont pas à envisager comme deux entités parallèles, chacune s'enfermant dans sa stable harmonie. Elles se provoquent sans cesse, formant les deux pôles dynamiques d'un univers qui ne trouve son unité que dans l'unité précaire de l'être du peintre. Il vaut sans doute la peine, pour un sémiologue, de tenter d'ouvrir une brèche dans l'univers en devenir de Shih-t'ao.

S'il est quasiment impossible, dans l'état actuel de nos connaissances, de saisir de façon précise le processus par lequel le peintre, à travers son expérience créatrice, a abouti à sa théorie[1], il nous est loisible de montrer certains tableaux du peintre qui confirment certains de ses dires et, inversement, de laisser parler le peintre devant ses œuvres. Ce faisant, nous aurons souci de montrer les rapports internes et structurels entre diverses notions qui sont à la base de sa théorie. En effet, les *Propos* ont été formulés dans un contexte culturel donné; leur contenu explicite renvoie à tout un ensemble de données implicites. Sans la connaissance de cette part implicite, le lecteur peut certes apprécier la richesse de tel ou tel passage, mais ne saisit pas toujours la logique interne qui les relie. Sans chercher à systématiser, nous nous proposons, après une lecture globale du texte, de suivre la pensée du peintre dans sa démarche intime.

Tout comme dans la peinture chinoise où, par le jeu du Plein et du Vide, les figures finies d'un tableau ne le sont qu'en s'ouvrant sur l'infini, et où tout mouvement circulaire qui se boucle en inaugure aussitôt un autre, nos propos ne sauraient rejoindre ceux de Shih-t'ao que dans une poursuite en spirale. Peut-être à coups de propos, d'à-propos, voire de hors-propos, peut-on finir par pénétrer le lieu où le peintre, consciemment ou non, voulait nous entraîner.

---

1. On sait seulement que les *Propos* ont été écrits assez tardivement, aux environs de 1700; Shih-t'ao approchait alors de sa soixantième année.

Chapitre quatre

Ouvrir une brèche, avons-nous dit. Tentons de pénétrer, comme par effraction, dans l'univers pictural de Shih-t'ao. Sans souci d'y distinguer ce qui est traditionnellement reconnu comme « beau » ou « représentatif », sans suivre davantage l'ordre chronologique des œuvres, laissons-nous porter vers quelques tableaux qui nous ont paru plus particulièrement « parlants ».

On remarquera, notamment, dans les tableaux v à x, les formes de montagne et d'eau qui surgissent comme les projections d'un monde de fantasmes à connotation sexuelle. Figures de seins, de sexes, ou d'autres parties du corps. Saillantes ou discrètes, abruptes ou caressantes, fixes ou rythmées, elles incarnent les multiples aspects de la nature et, en même temps, les pulsions secrètes de l'homme[1].

Il convient cependant de souligner un point essentiel. Il ne s'agit nullement ici d'une peinture fondée sur une sorte de naturalisme, encore moins d'un anthropomorphisme par lequel l'homme imaginerait dans certains éléments de la nature des formes vivantes à caractère humain. La rencontre de l'homme et de l'univers ne se

1. L'aspect abrupt et étrange de certains tableaux de Shih-t'ao rapproche celui-ci de son ami Pa-ta-shan-jen, autre peintre extravagant qui vécut sous les deux dynasties Ming et Ts'ing. Voir le tableau XXVII de Pa-ta-shan-jen.

situe pas au niveau superficiel de la ressemblance extérieure, mais à un niveau bien plus profond où, selon la
conception cosmologique chinoise, les souffles vitaux
animent tout à la fois l'être de l'univers et l'être de
l'homme. Plus que des figures limitées et figées, ce sont
les souffles dont toute chose est animée que le peintre
entend capter. Pour ce faire, le peintre recourt à l'élément essentiel de la peinture chinoise : le Trait de
Pinceau, lequel, par son plein-vide et son concentré-
dilué, incarne simultanément ligne et volume, rythme et
toucher, formes concrètes et formes de rêve. En réalité,
les figures sensibles ou sensuelles que nous avons pu
constater dans les tableaux de Shih-t'ao, c'est d'abord à
travers les traits de pinceau qu'elles se sont manifestées.
Traits pleins ou déliés, abrupts ou tendres, secs ou écla-
boussés d'encre, contrôlés ou déchaînés, autant de
« traits d'union » entre les désirs de l'homme et les mouvements de l'univers.

Cette relation croisée entre Nature-Homme et
Souffle-Trait peut être suggérée par la figure suivante :

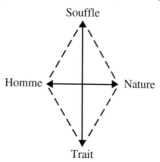

Par cette figure, forcément schématique, nous vou-
lons avant tout montrer l'importance du Trait qui, lié
avec le Souffle, implique une philosophie de vie et une
conception spécifique du Signe.

Chapitre cinq

L'idée de souffle est au centre de la cosmologie chinoise. D'après celle-ci, du Chaos originel qui précède le Ciel-Terre, c'est le Souffle primordial qui dégage l'unité initiale qu'on désigne par Un, lequel engendre le Deux qui représente les deux souffles vitaux, le Yin et le Yang. De l'action combinée et alternante du Yin et du Yang naissent les Dix mille êtres. Toute chose vivante, plus qu'une simple substance, est conçue avant tout comme une condensation de différents types de souffles qui en règlent le fonctionnement vital.

En une analogie parfaite, Shih-t'ao traduit sur le plan pictural les notions cosmologiques que nous venons d'évoquer. Dans le chapitre X des *Propos,* il se sert du terme *hun-tun* « chaos » pour désigner cet état virtuel qui précède l'acte de peindre. Par ailleurs, notamment dans le chapitre VII, l'idée du Chaos originel est liée à celle du *Yin-Yun,* lequel suggère également l'état indistinct où le Yin et le Yang sont virtuellement présents. C'est en rapport avec le *hun-tun* « Chaos » et avec le *Yin-Yun* « Indistinct » que Shih-t'ao situe précisément sa conception de l'Unique Trait de Pinceau. Celui-ci, correspondant à l'Un, tire du *Yin-Yun* l'unité initiale. D'où l'idée que l'acte de tracer le Trait premier redevient celui qui sépare le Ciel et la Terre ; et que par cet acte, l'homme se fait homme en assimilant l'essence de l'univers. Résultante du Trait, l'union du Pinceau et de l'Encre est analogue à celle du Yin et du Yang. De même que l'interaction du Yin-Yang engendre tous les êtres et promet toutes les transformations, l'Unique Trait de Pinceau, par le jeu du « Pinceau-Encre », implique tous les autres traits qui, perçus comme les transformations du Trait initial, réalisent au fur et à mesure les figures du Réel.

> *Yin-Yun* (chap. VII)   L'union du Pinceau et de l'Encre est celle de *Yin* et *Yun*. La fusion indistincte de *Yin-Yun* constitue le Chaos originel. Et si ce n'est par le moyen de l'Unique Trait de Pinceau, comment pourrait-on défricher le Chaos originel ?... Réaliser l'union de l'Encre et du Pinceau, c'est résoudre la distinction de Yin et Yun et entreprendre de défricher le Chaos... Au milieu de l'océan de l'Encre, établir fermement l'esprit ; à la pointe du Pinceau, que s'affirme et surgisse la vie ; sur la surface de la peinture opérer la métamorphose ; qu'au cœur du Chaos s'installe et jaillisse la lumière !... A partir de l'Un, le Multiple se divise ; à partir du Multiple, l'Un se conquiert, la métamorphose de l'Un produit Yin et Yun – et voilà que toutes les virtualités du monde se trouvent accomplies.

D'après cette conception, la peinture ne se présente pas comme une simple description du spectacle de la Création : elle est elle-même Création, microcosme dont l'essence et le fonctionnement sont identiques à ceux du macrocosme. De même que Chang Tsao, des T'ang, auteur du célèbre adage : « Au-dehors, je saisis le mode de la Création ; au-dedans, je capte la source de mon âme », Shih-t'ao a pu dire :

> *Pinceau et Encre* (chap. V)   L'Encre, en imprégnant le Pinceau, le dote d'une âme ; le Pinceau, en utilisant l'Encre, la doue d'esprit... L'Homme détient le pouvoir de formation et de vie, sinon comment serait-il possible de tirer ainsi du Pinceau et de l'Encre une réalité qui ait chair et os...

Compte tenu de ce qui vient d'être dit, et sur le modèle de la figure précédente, nous proposons la figure suivante :

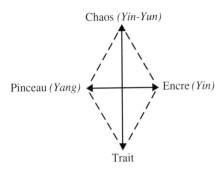

A plusieurs reprises, Shih-t'ao est revenu sur le thème du Chaos originel qu'il suggère par des « vagues de pierres » (cette expression, on se souvient, est la traduction même du nom du peintre), comme dans les tableaux III et IV. Au sein de ces rochers pris dans un mouvement dynamique de tourbillonnement, mouvement qu'incarnent les traits angulaires ou tortueux, réside toutefois la présence humaine représentée par les logis, et l'ermite. Ceux-ci sont dessinés avec des traits droits, lesquels signifient avant tout l'ordre et l'unité dont l'esprit de l'homme est habité. Remarquons que cet ordre et cette unité ne sont pas détachés du Chaos, ou en opposition avec lui. En adepte du taoïsme ou du Ch'an, Shih-t'ao exprime dans le tableau III le bonheur de la non-séparation qu'éprouve l'homme dans le « giron » du Chaos ; dans le tableau IV, la conscience de l'homme en tant que « Œil illuminé » de la nature ; et dans le tableau XIV l'irrépressible nostalgie du retour vers l'Origine. (On peut rapprocher ces tableaux du tableau XX de Kuo Hsi.)

Chapitre six

Le Trait de Pinceau, nous l'avons déjà évoqué dans le chapitre IV, n'est pas une simple ligne ou le simple contour des choses. Né de l'art calligraphique, il comporte de multiples implications. Par son plein et son délié et par le Vide qu'il cerne, il représente forme et volume ; par son « attaque » et sa « poussée », il exprime rythme et mouvement ; par le jeu de l'Encre, il suggère ombre et lumière ; enfin, par le fait que l'exécution en est instantanée et sans retouche, il introduit les souffles vitaux. Plus que la ressemblance extérieure, ce que le Trait cherche à capter, c'est le *li* « ligne interne » des choses. En même temps il prend en charge les pulsions irrésistibles de l'homme. Ainsi, transcendant le conflit entre dessin et couleur, entre représentations du volume et du mouvement, le Trait, par sa simplicité même, incarne à la fois le Multiple et l'Un, ainsi que la loi de la transformation. Si, à partir du IVe siècle, la peinture chinoise est devenue un art du trait, c'est que celui-ci est en accord profond avec la conception chinoise de l'univers. Avec la certitude que, dans la nature, le courant du Tao parcourt les collines, les rochers, les arbres, les rivières, et que les « veines du dragon » ondulent à travers le paysage, le peintre, tout en dessinant les formes de la réalité, a souci de recréer les lignes invisibles et rythmiques qui les relient et les animent. Ce faisant, il donne libre cours aux influx qui animent son propre être.

Bien que l'idée de l'Unique Trait de Pinceau ait été émise à maintes reprises par les autres théoriciens de l'art chinois, jamais elle ne fut affirmée avec autant de force que par Shih-t'ao :

> *Unique Trait de Pinceau* (chap. I)   L'Unique Trait de Pinceau est l'origine de toutes choses, la racine de tous les phénomènes ; sa fonction est manifeste pour l'esprit et cachée en l'homme, mais le vulgaire l'ignore... La peinture émane de l'intellect : qu'il s'agisse de la beauté des monts, fleuves, personnages et choses, ou qu'il s'agisse de l'essence et du caractère des oiseaux, des bêtes, des herbes et des arbres, ou qu'il s'agisse des mesures et proportions des viviers, des pavillons, des édifices et des esplanades, on n'en pourra pénétrer les raisons ni épuiser les aspects variés, si en dernier lieu on ne possède cette mesure immense de l'Unique Trait de Pinceau. Si loin que vous alliez, si haut que vous montiez, il vous faut commencer par un simple pas. Ainsi, l'Unique Trait de Pinceau embrasse-t-il tout, jusqu'au lointain le plus inaccessible, et sur dix mille millions de coups de pinceau, il n'en est pas un dont le commencement et l'achèvement ne résident dans cet Unique Trait de Pinceau dont le contrôle n'appartient qu'à l'homme. Par le moyen de l'Unique Trait de Pinceau, l'homme peut restituer en miniature une entité plus grande sans rien en perdre : du moment que l'esprit s'en forme d'abord une vision claire, le Pinceau ira jusqu'à la racine des choses... (Dans le tracé d'un trait), si l'on ne peint d'un poignet libre, des fautes de peinture s'ensuivront ; et ces fautes à leur tour feront perdre au poignet son aisance inspirée. Les virages du pinceau doivent être enlevés d'un mouvement, et l'onctuosité doit naître des mouvements circulaires, tout en ménageant une marge pour l'espace. Les finales du pinceau doivent être tranchées, et les attaques incisives. Il faut être également habile aux formes circulaires et angulaires, droites et courbes, ascendantes et descendantes ; le pinceau va à gauche, à droite, en relief, en creux, brusque et résolu, il s'interrompt abruptement, il s'allonge en oblique, tantôt comme l'eau, il dévale vers les profondeurs, tantôt il

jaillit en hauteur comme la flamme, et tout cela avec naturel et sans forcer le moins du monde. Que l'esprit soit présent partout... et les aspects les plus variés pourront être exprimés. S'abandonnant au gré de la main, d'un geste, on saisira l'apparence formelle aussi bien que l'élan intérieur des monts et des fleuves, des personnages et des objets inanimés, des oiseaux et des bêtes, des herbes et des arbres, des viviers et des pavillons, des bâtiments et des esplanades, on les peindra d'après nature ou l'on en sondera la signification, on en exprimera le caractère ou l'on en reproduira l'atmosphère, on les révélera dans leur totalité ou on les suggérera elliptiquement. Quand bien même l'homme n'en saisirait pas l'accomplissement, pareille peinture répondra aux exigences de l'esprit. Car la suprême Simplicité s'est dissociée, aussi la règle de l'Unique Trait de Pinceau s'est établie. Cette règle une fois établie, l'infinité des créatures s'est manifestée. C'est pourquoi il a été dit : Ma voie est celle de l'Unité qui embrasse l'Universel.

Le Paysage (chap. VIII)   Si l'on se sert de l'Unique Trait de Pinceau comme mesure, alors, il devient possible de participer aux métamorphoses de l'univers, de sonder les formes des monts et des fleuves, de mesurer l'immensité lointaine de la terre, de jauger la disposition des cimes, de déchiffrer les secrets sombres des nuages et des brumes. Soit que l'on se campe droit, face à une étendue de mille lieues, ou que l'on jette un coup d'œil de biais dans l'enfilade de mille cimes, il faut toujours en revenir à cette mesure fondamentale du Ciel et de la Terre. C'est en fonction de cette mesure du Ciel que l'âme du paysage peut varier ; c'est en fonction de cette mesure de la terre que peut s'exprimer le souffle organique du paysage. Je détiens l'Unique Trait de Pinceau, et c'est pourquoi je puis embrasser la forme et l'esprit du paysage.

La Méthode des rides (chap. IX)[1]   Par le moyen des rides, le Pinceau suggère le relief vivant des choses ; mais comme les formes des montagnes peuvent affecter mille aspects variés, il s'ensuit que cette expression de leur

---

1. Rides = Traits modelés. Voir première partie, chap. II.

relief ne peut se réduire à une seule formule... Pour ce qui est des rides d'un paysage donné dans son entité concrète, il faut se référer aux divers sites de montagnes qui ont chacun leur identité propre, leur structure singulière, leur relief naturel et dont les formes sont irréductibles les unes aux autres ; et c'est en fonction de ces différences que se sont constitués les divers types de rides. C'est ainsi qu'on parle des rides « nuages enroulés », « taillées à la hache », « chanvre éparpillé », « corde détoronnée », « face de diable », « crâne de squelette », « fagot emmêlé », « grains de sésame », « or et jade », « fragment de jade », « cavité ronde », « pierre d'alun », « sans os » ; ce sont tous là divers types de rides. Ces divers types doivent se former à partir des diverses structures et du relief naturel des montagnes : il y a adaptation entre telle montagne et telle ride, car la ride procède de la montagne. La montagne a sa fonction propre, et la fonction des rides est précisément de permettre à la montagne de se laisser exprimer plastiquement. Il faut posséder la montagne pour créer, mais il faut posséder les rides pour pouvoir exprimer plastiquement cette création. Aussi, la capacité de créer une montagne dépend de ce moyen d'expressions des rides... Mais au moment de manier l'Encre et le Pinceau, il ne faut pas s'accrocher aux catégories préconçues de montagnes et de rides : le premier coup de pinceau attaque le papier et tous les autres le suivent d'eux-mêmes. Du moment que l'on a saisi l'unique principe, la multitude des principes particuliers se déduira d'elle-même. Que l'on examine toute la portée de l'Unique Trait de Pinceau : l'infinité des principes s'y trouve englobée.

Forêts et Arbres (chap. XII)   Quand les Anciens peignaient les arbres, ils les représentaient par groupes de trois, cinq ou dix, les dépeignaient sous tous leurs aspects, chacun selon son caractère propre, et mêlant leurs silhouettes irrégulières dans un ensemble vivant au plus haut degré. Ma méthode pour peindre les pins, les cèdres, les vieux acacias et les vieux genévriers est de les grouper par exemple par trois ou cinq, en combinant leurs attitudes : certains se dressent d'un élan héroïque et guerrier, certains baissent la tête, d'autres la relèvent, tantôt ramassés sur eux-mêmes, tantôt campés bien droits, ondulants ou balancés. Ferme ou souple, le travail du pinceau et du poignet doit suivre la même méthode pour peindre les rochers. Que l'on tienne le pinceau à quatre, cinq ou trois doigts, tous doivent être soumis aux circonvolutions du poignet qui, lui-même, s'avance ou se retire au gré de l'avant-bras, le tout étant coordonné à l'unisson d'une seule et même force. Aux endroits où le mouvement du pinceau est le plus appuyé, il faut au contraire voler à main levée au-dessus du papier, en éliminant toute violence ; ainsi, dans les parties denses comme dans les parties fluides, tout sera également immatériel et animé, vide et merveilleux.

L'Unique Trait de Pinceau est, nous l'avons dit, à la fois un et multiple. Les tableaux XI, XII, XIII nous montrent les aspects très variés des traits qu'utilise Shih-t'ao. Dans le tableau XI, on ne manquera pas de noter le contraste entre la rigueur des traits représentant les tiges et feuilles de bambous et la grâce de ceux qui dessinent les longues feuilles d'orchidées. Quant aux rochers, ils sont faits d'une série de « traits modelés » *(ts'un)* ; ceux-ci, en s'opposant entre eux, créent, avec une étonnante économie, volume et profondeur. Ce qui est à souligner, c'est l'impression « sensuelle » que donnent ces traits, ainsi que les figures qu'ils forment. Tantôt sinueux et délicats, tantôt appuyés et denses, ils sont autant de « caresses » par quoi l'artiste imprime les nuances de ses sensations aux formes. Cette sensualité des traits se constate aussi dans le tableau XII où les traits calligraphiés prolongent les traits dessinés en accentuant cette saveur mystérieusement *yin* « féminine ». L'inscription cite d'ailleurs un vers de Po Chü-i : « La beauté de son visage est à moitié cachée par la cithare qu'elle tient dans ses bras. » Aussi, dans la partie peinte, le peintre restitue-t-il une scène chargée de désirs inavoués en dessinant des boutons de fleurs qui « montrent » et des feuilles qui « cachent ». Le tableau XIII, enfin, nous montre le peintre donnant libre cours à ses « gestes dessinant » : dans un jaillissement à la fois ordonné et tumultueux, s'enchevêtrent des traits déchaînés et des traits d'une extrême finesse. Ce tableau représente des branches de prunus en fleur. Le prunus, auquel Shih-t'ao a voué une constante passion, est devenu son symbole, son emblème[1]. (A propos des traits et de la représentation des objets, il est intéressant de comparer les tableaux de Shih-t'ao à ceux des maîtres des Sung et des Yuan. Voir les tableaux XXIV, XXV et XXVI.)

---

1. Voir chap. X.

Chapitre sept

A propos du Trait, nous avons déjà fait usage de la notion du Pinceau-Encre, fondamentale dans la peinture chinoise. C'est bien par les traits nés du jeu combiné du Pinceau-Encre que le peintre exprime les multiples aspects du monde. La notion du Pinceau-Encre, liée à celle du Yin-Yang, entraîne sur le plan concret celle de la Montagne-Eau laquelle, représentant les deux pôles de la nature, symbolise les lois de complémentarité et de transformation. Précisons que, par rapport à la Montagne-Eau, le Pinceau-Encre n'est pas envisagé seulement comme « moyen » d'expression ; il est, nous l'avons dit, partie intégrante d'un ensemble organique dans lequel l'acte humain de peindre est relié à l'action démiurgique de l'univers en devenir. C'est ainsi qu'à la suite des autres, Shih-t'ao établit une correspondance entre Pinceau et Montagne, et entre Encre et Eau, en utilisant les expressions « la Montagne du Pinceau » et « l'Océan de l'Encre ». Tout comme le Trait initial surgissant du Yin-Yun est identifié au Souffle primordial qui émerge du Chaos, ici, le Pinceau-Encre est identifié au Yin-Yang d'une part, et d'autre part à la Montagne-Eau (laquelle est la manifestation matérielle et visible de l'action du Yin-Yang). Compte tenu de toutes les notions en jeu jusqu'ici, nous pensons pouvoir établir l'existence de liens organiques entre la cosmologie et la peinture dans le schéma suivant :

Chaos/Yin-Yun ⟶ Souffle/Trait ⟨ Yang/Montagne/Pinceau / Yin/Eau/Encre ↕

La Transformation (chap. III)   La peinture exprime la grande règle des métamorphoses du monde, la beauté essentielle des monts et des fleuves dans leur forme et leur élan, l'activité perpétuelle du Créateur, l'influx du souffle Yin-Yang ; par le truchement du Pinceau et de l'Encre, elle saisit toutes les créatures de l'Univers, et chante en moi son allégresse.

En union avec la calligraphie (chap. XVII)   Depuis toujours, les grands peintres ont exactement saisi ceci : il faut faire que l'océan de l'Encre embrasse et porte, que la Montagne du Pinceau s'érige et domine ; ensuite, il faut largement étendre leur emploi jusqu'à exprimer les Huit Orientations, les aspects variés des Neuf Districts de la Terre, la majesté des Cinq Monts, l'immensité des Quatre Mers, se développant jusqu'à inclure l'infiniment grand, s'amenuisant jusqu'à recueillir l'infiniment petit.

Océan et Vagues (chap. XIII)   La Mer possède le déferlement immense, la Montagne possède le recel latent. La Mer engloutit et vomit, la Montagne se prosterne et s'incline. La Mer peut manifester une âme, la Montagne peut véhiculer un rythme. La Montagne, avec la superposition de ses cimes, la succession de ses falaises, avec ses vallées secrètes et ses précipices profonds, ses pics élevés qui pointent brusquement, ses vapeurs, ses brumes et ses rosées, ses fumées et ses nuages, fait penser aux déferlements, aux engloutissements et aux rejaillissements de la Mer ; tout cela n'est pas l'âme que manifeste la Mer elle-même : ce sont seulement celles des qualités de la Mer que la Montagne s'approprie. La Mer, elle aussi, peut s'approprier le caractère de la Montagne : l'immensité de la Mer, ses profondeurs, son rire sauvage, ses mirages, ses baleines qui bondissent et ses dragons qui se dressent, ses marées en vagues succes-

> sives comme des cimes : voilà tout ce par quoi la Mer
> s'approprie les qualités de la Montagne, et non la
> Montagne celles de la Mer. Telles sont les qualités que
> Mer et Montagne s'approprient, et l'Homme a des yeux
> pour le voir... Mais qui ne saisit la Mer qu'au détriment
> de la Montagne, ou la Montagne au détriment de la Mer,
> celui-là en vérité n'a qu'une perception obtuse ! Mais
> moi, je perçois ! La Montagne, c'est la Mer, et la Mer,
> c'est la Montagne ! Montagne et Mer connaissent la
> vérité de ma perception : tout réside en l'Homme, par le
> libre élan du seul Pinceau, de la seule Encre !

Ce thème de contraste interne et de devenir réciproque qu'implique la Montagne-Mer, presque tous les
tableaux de paysage de Shih-t'ao l'illustrent. Nous nous
contenterons d'observer les deux tableaux suivants,
tableaux XVI et XVII. Dans le premier, les éléments com-
posants – montagne, source, rochers, maisons, arbres,
herbes – possèdent chacun leurs forme et substance
propres. Chacun, dans sa conscience d'être une existence particulière, concourt à l'harmonie de l'ensemble.
Harmonie dynamique. Car le Vide qui circule, non seulement entre les éléments mais à l'intérieur même de
chaque élément, suscite un flux invisible qui entraîne le
tout dans un mouvement vivifiant de transformation.
Ce Vide totalisateur, loin donc de rendre « lâche » la
composition, contribue à la densité du tableau d'où se
dégage une impression de poignante inquiétude et, en
même temps, de profond consentement (de la part de
l'homme qui participe aux poussées de la Nature).
Quant au tableau XVII, il est dominé par le vide central
(la chute). Celui-ci y provoque un éclatement, lequel
entraîne un mouvement centrifuge. Pris par ce mouvement, la montagne et les rochers qui composent le tableau suivent un ordre circulaire : le sommet semble se
fondre en cascades pour ensuite rejaillir en vagues de
rochers.

Dans cette rotation puissante, l'homme qui contemple, pour minuscule qu'il soit, est le seul élément stable. Lui dont le cœur est habité par le Vide, devient ici le pivot de la mutation universelle. (Les tableaux XXI, XXII, XXIII illustrent, chacun à sa manière, la relation ternaire Homme-Eau-Montagne ou Homme-Terre-Ciel régie par le Vide. Voir également le tableau XIX de Chü-jan qui est un haut exemple de la composition verticale.)

Chapitre huit

L'interaction entre Montagne et Eau est donc perçue en Chine comme l'incarnation de la transformation universelle. Mais dans cette interaction sont impliquées les lois de la vie humaine. En participant à la transformation universelle, l'homme trouve en effet la voie de son propre accomplissement. A ce propos, il convient de signaler les « correspondances » que les philosophes chinois établissent entre la nature profonde de la Montagne-Eau et celle de la sensibilité humaine. Confucius a dit : « L'homme de cœur s'enchante de la Montagne ; l'homme d'intelligence jouit de l'Eau. » De cette affirmation primordiale est née une conception très spécifique du rapport entre l'homme et la nature. Cette dernière n'est pas simplement envisagée comme un cadre extérieur ou un terme de comparaison ; elle tend à l'homme un miroir fraternel lui permettant de se découvrir et de se dépasser. Il ne s'agit donc pas d'un rapport superficiel (ou artificiel) ; c'est en terme de « vertus » (l'homme possédant les vertus dont Montagne et Eau sont douées) que, de génération en génération, les Chinois tentent, particulièrement dans le domaine artistique, d'établir cette correspondance entre l'homme et la nature. Nous pouvons, à ce propos, parler d'une sorte de symbolisation généralisée en Chine : les figures extérieures deviennent la représentation d'un monde intérieur. Pour ne citer que la peinture, tout au long de la grande époque créatrice de Symboles (que nous situons entre le ve et le xiie s.), la lente assimilation des formes de la nature ne vise pas à l'établissement de conventions académiques ; elle s'appuie sur une conception cosmologique et tend vers un idéal de l'esprit humain : vivre jusqu'au bout de la nature et l'intérioriser par les souffles domptés que sont les Signes. La Création, celle de l'univers, celle de l'homme, n'atteint son état suprême que grâce à ce par quoi elle a commencé : un Trait. Si la peinture en Chine est considérée comme sacrée, si elle ne tend vers rien de moins qu'une spiritualisation de l'univers, c'est parce qu'elle est fondée sur une véritable religion du Signe.

Ici, nous rejoignons ce que nous avons dit au début de la présente étude (voir chapitre iv) : en Chine, la peinture de paysage n'est pas une peinture naturaliste où l'homme serait dilué ou absent ; ni une peinture animiste par laquelle l'homme cherche à « anthropomorphoser » les formes extérieures d'un paysage. Elle ne se contente pas non plus d'être un simple art paysagiste qui fixe quelques beaux sites que l'homme peut admirer à loisir. S'il n'est pas « figurativement » représenté, l'homme n'en est pas pour autant absent ; il y est éminemment présent sous les traits de la nature, laquelle, vécue ou rêvée par l'homme, n'est autre que la projection de sa propre nature profonde tout habitée d'une vision intérieure. Cette croyance en l'existence d'une correspondance est d'inspiration taoïste : la vallée, par exemple, recèle le mystère d'un corps de femme ; les rochers parlent d'expressions tourmentées d'un homme, etc. De sorte que peindre un paysage, c'est faire le portrait de l'homme ; non plus le portrait d'un personnage isolé, coupé de tout, mais d'un être relié aux mouvements fondamentaux de l'univers. Ce qui est exprimé, c'est la manière d'être de l'homme : ses attitudes, sa démarche, son rythme, son esprit... Et les contrastes et interactions entre les éléments visibles dans le tableau, ce sont les états propres de l'homme : ses frayeurs, ses extases, ses élans, ses contradictions, ses désirs vécus ou inassouvis. Toujours à propos du paysage, signalons que, dans la représentation d'un groupe de montagnes, de rochers ou d'arbres, le peintre chinois fait grand cas du rapport « moral » entre les montagnes – chacune incarnant une attitude et des gestes personnels –, rapport de vénération ou d'hostilité, d'harmonie ou de tension... Le spectateur appréhende ce rapport un peu de la manière dont un spectateur occidental saisit, par exemple, le rapport qui ordonne les personnages dans une fresque de Piero della Francesca.

Compte tenu de ce qui vient d'être dit, on peut, en simplifiant beaucoup, souligner le fait suivant : tandis que dans la peinture classique occidentale domine la figure humaine qui, aux yeux du peintre, suffit à incarner toutes les beautés du monde, le peintre chinois, à partir des IXe et Xe siècles, privilégie le paysage, lequel, tout en révélant le mystère de la nature, lui paraît susceptible d'exprimer en même temps les rêves et les « traits » profonds de l'homme[1].

Le thème des correspondances qualitatives entre homme et nature, développé tout au long de la présente section, Shih-t'ao l'a traité dans un passage particulièrement éloquent du dernier chapitre de son œuvre :

Assumer ses qualités (chap. XVIII) C'est dans la Montagne que se révèlent à l'infini les qualités du Ciel :

---

1. Rappelons, par ailleurs, que la peinture de personnages constitue une catégorie importante de la peinture chinoise : notamment, dans la tradition religieuse, la représentation des bouddhas et des saints, des dieux et des démons.

la Dignité par laquelle la Montagne obtient sa masse; l'Esprit par lequel la Montagne manifeste son âme; la Créativité par laquelle la Montagne réalise ses mirages changeants; la Vertu qui fait la discipline de la Montagne; le Mouvement qui anime les lignes contrastées de la Montagne; le Silence que la Montagne recèle intérieurement; l'Étiquette qui s'exprime dans les courbes et les inclinaisons de la Montagne; l'Harmonie que la Montagne réalise à travers ses tours et ses détours; la Réserve prudente que la Montagne enclot dans ses criques; la Sagesse que la Montagne révèle dans son Vide animé; le Raffinement qui se manifeste dans la pure grâce de la Montagne; la Bravoure que la Montagne exprime dans ses replis et ressauts; l'Audace que la Montagne montre dans ses précipices terribles; l'Élévation par laquelle la Montagne fièrement domine; l'Immensité que la Montagne révèle dans son Chaos massif; la Petitesse que la Montagne découvre dans ses abords menus. Toutes ces qualités, la Montagne ne les met en œuvre qu'en tant que le Ciel l'a investie de cette fonction; elle ne se trouve pas investie de ces dons pour en enrichir le Ciel. De même, l'Homme met en œuvre les qualités dont le Ciel l'a investi, et ces qualités lui sont propres; ce ne sont pas celles dont la Montagne est investie. D'où l'on peut déduire: la Montagne réalise sa qualité propre et cette qualité ne saurait être réalisée si, de la Montagne, elle était transférée ailleurs. Ainsi, l'homme vertueux n'a pas besoin que la vertu lui soit transférée de l'extérieur pour pouvoir faire ses délices de la Montagne. Si la Montagne a de telles qualités, comment l'Eau n'en aurait-elle pas? L'Eau n'est dépourvue ni d'action ni de qualités. En ce qui concerne l'Eau: par la Vertu, elle forme l'immensité des océans et l'étendue des lacs; par la Droiture, elle trouve l'humilité descendante et la conformité à l'étiquette; par le Tao, elle meut sans trêve ses marées; par l'Audace, elle fraye sa marche décidée et son impétueux élan; par la Règle, elle apaise à l'unisson ses tourbillons; par la Pénétration, elle réalise sa lointaine plénitude et son universelle atteinte; par la Bonté, elle accomplit son jaillissement clair et sa fraîche pureté; par la Constance, elle ramène immanquablement son cours vers l'Est. Si l'Eau, dont les qualités sont ainsi manifestées visiblement dans les vagues de l'océan et la profondeur des baies, ne réglait son comportement sur elles, comment pourrait-elle ainsi envelopper tous les paysages du monde et traverser la terre de ses artères? Celui qui ne pourrait œuvrer qu'à partir de la Montagne et non de l'Eau, serait comme englouti au milieu de l'océan sans connaître le rivage, ou encore, serait comme la rive qui ignore l'existence de l'océan. Aussi, l'homme intelligent connaît-il la rive en même temps qu'il se laisse emporter au fil de l'eau; il écoute les sources et se complaît au bord de l'eau.

Chapitre neuf

C'est donc finalement de l'homme qu'il s'agit. A travers la pratique picturale, l'homme cherche son unité, tout en prenant en charge le Réel ; car l'homme ne peut s'accomplir qu'en accomplissant les vertus du Ciel et de la Terre dont il est doué. L'idéal vers lequel tend la peinture chinoise est une forme de totalité : totalité de l'homme et totalité de l'univers, solidaires et ne faisant, en vérité, qu'un.

Par sa conception de l'homme et de la mission dont celui-ci serait chargé, conception que confirment les citations ci-dessous, Shih-t'ao rejoint la plus haute réflexion de la philosophie chinoise. Si sa pensée s'inspire essentiellement du taoïsme et de la spiritualité du bouddhisme Ch'an (Zen), elle n'exclut pas les meilleurs éléments du confucianisme (en ce sens, les *Propos* de Shih-t'ao, nous l'avons dit, constituent, en ce début du XVIIIᵉ siècle, une grande œuvre de synthèse proposant une philosophie de vie), notamment ces idées déjà exprimées par Tung Chung-shu : « Le Ciel donne, la Terre reçoit et fait croître, l'Homme accomplit » ; et dans le *Chung-yung* « Le livre du Juste Milieu » : « Seul l'homme parfaitement en accord avec lui-même, parfaitement sincère, peut aller au bout de sa Nature... Aller au bout de la Nature des êtres et des choses, c'est se joindre en Troisième à l'action créatrice et transformante du Ciel et de la Terre. »

Shih-t'ao lui-même écrit :

> *En union avec la calligraphie* (chap. XVII)   Le Ciel
> investit l'Homme de la règle, mais il ne peut l'investir de
> son accomplissement ; le Ciel investit l'Homme de la
> peinture, mais il ne peut l'investir de la création pictu-
> rale. Si l'Homme délaisse la règle pour s'occuper seule-
> ment d'en conquérir l'accomplissement, si l'Homme
> néglige le principe de la peinture pour s'attacher immé-
> diatement à créer, alors le Ciel n'est plus en lui ; il aura
> beau calligraphier et peindre, son œuvre ne tiendra pas.

> *Pinceau et Encre* (chap. V)   Aussi, si les monts, les
> fleuves et l'infinité des créatures peuvent révéler leur
> âme à l'Homme, c'est parce que l'Homme détient le
> pouvoir de formation et de vie, sinon comment serait-il
> possible de tirer ainsi du Pinceau et de l'Encre une réa-
> lité qui ait chair et os, expansion et unisson, substance et
> fonction, forme et dynamisme, inclinaison et aplomb,
> ramassement et bondissement, latence secrète et jaillis-
> sement, élévation altière, surgissement abrupt, hauteur
> aiguë, escarpement fantastique et surplomb vertigineux,
> exprimant dans chaque détail la totalité de son âme et la
> plénitude de son esprit ?

Nous sommes en présence d'une conception unitaire
de l'univers qui implique cependant le rapport interne
et dialectique de l'homme et de la nature. La nature en
sa virtualité révèle à l'homme sa nature propre, lui permettant de se dépasser ; et l'homme en s'accomplissant
permet à son tour à la nature de s'accomplir. Comme l'a
affirmé le « Livre du Juste Milieu » (cité plus haut),
l'homme ne peut aller au bout de sa nature qu'en allant
au bout de la nature des êtres et des choses. Pour Shih-
t'ao, la réalisation de cette « nature » *(hsing)* est, bien
entendu, intimement liée à la pratique de la peinture.
Celle-ci est la voie par excellence menant à l'accomplissement de tout ce qui est virtuellement vital. Car la
peinture est, plus qu'un moyen d'expression et de

connaissance, manière d'être fondamentale. Une des idées de base de la philosophie de Shih-t'ao n'est-elle pas la Réceptivité? Selon lui, seule la Réceptivité, en tant que capacité innée de l'homme d'appréhender l'essence des choses, conserve intacte et fait épanouir totalement la nature humaine.

> *Vénérer la Réceptivité* (chap. IV)   En ce qui concerne la Réceptivité et la Connaissance, c'est la Réceptivité qui précède, et la Connaissance qui suit; la Réceptivité qui serait postérieure à la Connaissance ne serait pas la véritable Réceptivité. Depuis l'Antiquité jusqu'à nos jours, les plus grands esprits se sont toujours servis de leurs connaissances pour exprimer leurs perceptions et se sont employés à intellectualiser leurs perceptions pour développer leurs connaissances. Lorsque pareille aptitude ne peut s'appliquer qu'à un problème particulier, c'est qu'elle ne repose encore que sur une réceptivité restreinte et une connaissance limitée; il importe donc d'élargir et de développer celles-ci avant de pouvoir saisir la mesure de l'Unique Trait de Pinceau. Car l'Unique Trait de Pinceau, en effet, embrasse l'universalité des êtres; la peinture résulte de la réception de l'Encre; l'Encre de la réception du Pinceau; le Pinceau de la réception de la main; la main de la réception de l'esprit: tout comme dans le processus qui fait que le Ciel engendre ce que la Terre ensuite accomplit, ainsi tout est fruit d'une réception. Ainsi, le plus important pour l'Homme, c'est de savoir vénérer: car celui qui est incapable de vénérer les dons de ses perceptions se gaspille lui-même en pure perte, de même que celui qui a reçu le don de la peinture, mais néglige de recréer, se réduit à l'impuissance. O Réceptivité! Dans la peinture, qu'on la vénère et qu'on la conserve, et qu'on la mette en œuvre de toutes ses forces, sans faille et sans trêve. Comme il est dit au *Livre des Mutations*: « A l'image de la marche rigoureuse et régulière du Cosmos, l'Homme de bien œuvre par lui-même sans relâche », et c'est ainsi que véritablement l'on honorera la Réceptivité.

Mais l'homme finira par s'absorber dans l'œuvre, car là est pour lui le véritable dépassement, là est la participation au parachèvement de la Création.

Assumer ses qualités (chap. XVIII)   L'œuvre ne réside pas dans le Pinceau, ce qui lui permet de se transmettre ; elle ne réside pas dans l'Encre, ce qui lui permet d'être perçue ; elle ne réside pas dans la Montagne, ce qui lui permet d'exprimer l'immobilité ; elle ne réside pas dans l'Eau, ce qui lui permet d'exprimer le mouvement ; elle ne réside pas dans l'Antiquité, ce qui lui permet d'être sans limites ; elle ne réside pas dans le Présent, ce qui lui permet d'être sans œillères. Aussi, si la succession des âges est sans désordres et que Pinceau et Encre subsistent dans leur permanence, c'est parce qu'ils sont intimement pénétrés de cette Œuvre. Celle-ci repose, en vérité, sur le principe de la Discipline et de la Vie : par l'Un, maîtriser la Multiplicité ; à partir de la Multiplicité, maîtriser l'Un. Elle ne recourt ni à la Montagne, ni à l'Eau, ni au Pinceau, ni à l'Encre, ni aux Anciens, ni aux Modernes, ni aux Saints. Elle est l'Œuvre véritable, celle qui se fonde sur sa propre substance.

Chapitre dix

Revenons à l'œuvre de Shih-t'ao, ou à Shih-t'ao lui-même tel que son œuvre le révèle. S'il a passionnément « sondé le mystère de la Montagne et de l'Eau », il s'est, en recréant ce mystère, tout entier absorbé dans le Trait. Son œuvre est une projection de rêves et de désirs surgis à la fois de son inconscient et du rythme maîtrisé ; de sa nature profonde, tant charnelle que spirituelle.

Yin-Yun (chap. VII) Au milieu de l'océan de l'Encre, établir fermement l'Esprit ; à la pointe du Pinceau, que s'affirme et surgisse la Vie ! Sur la surface de la peinture opérer la Métamorphose ; au cœur du Chaos s'installe et jaillit la lumière ! A ce point, quand bien même le Pinceau, l'Encre, la peinture, tout s'abolirait, le Moi subsisterait encore, existant par lui-même. Car c'est moi qui m'exprime au moyen de l'Encre et non l'Encre qui est expressive par elle-même ; c'est moi qui trace au moyen du Pinceau, et non le Pinceau qui trace de lui-même. J'accouche de ma création, ce n'est pas elle qui pourrait accoucher d'elle-même.

Le Paysage (chap. VIII) Je détiens l'Unique Trait de Pinceau, et c'est pourquoi je puis embrasser la forme et l'esprit du paysage. Il y a cinquante ans, il n'y avait pas encore eu connaissance de mon Moi avec les monts et les fleuves, non pas qu'ils eussent été valeurs négligeables, mais je les laissais seulement exister par eux-mêmes. Maintenant, les monts et les fleuves me chargent de parler pour eux ; ils sont nés en moi et moi en eux.

> J'ai cherché sans trêve des cimes extraordinaires, j'en ai fait des croquis ; monts et fleuves se sont rencontrés avec mon esprit, et leur empreinte s'y est métamorphosée, en sorte que finalement ils se ramènent à moi, Ta-ti.

De Shih-t'ao il nous reste plusieurs autoportraits et quelques poèmes où il se dépeint. Des deux portraits que nous présentons ici (tableaux I et II), le premier est d'un dessin fin et uni ; il nous montre un homme (à l'âge de trente-trois ans) au maintien élégant, au regard pénétrant, doué d'une vision lucide de lui-même qui, toutefois, n'exclut pas une certaine complaisance. Le second nous le montre déjà âgé, avec un air farouche, presque hagard, qu'accentue la sécheresse des traits.

Par ailleurs, ses poèmes ou inscriptions sur les tableaux révèlent une personnalité aux facettes multiples, qui joint à l'intelligence une vive sensibilité, et à un esprit tourmenté la désinvolture.

> Jadis, le peintre Ku K'ai-chih atteignit, dit-on, la triple Perfection. J'atteins, quant à moi, la triple Folie : fou moi-même, fou mon langage, et folle ma peinture. Je cherche cependant à trouver la voie pour atteindre la vraie Folie.

> Le pinceau « dénudé » à la main, je ris vers toi. Soudain, je me mets à danser, en poussant des cris extravagants. A ces cris, le Ciel s'ouvre, immense ; au cœur de la voûte céleste, brille la lune, perle irradiante, lointaine, minuscule.

> Or, je parle avec ma main, tu écoutes avec tes yeux. Ceci n'est point donné aux vulgaires de connaître. Tu le penses de même, n'est-ce pas ?

> Automne. Après une longue maladie. Un ami vient avec ce papier pour me demander un tableau. Je peins d'une traite dix feuillets. Le papier est trop neuf encore. Dans

dix ans ou plus, il vaudra peut-être la peine d'être contemplé.

Ici, dans cette montagne (peinte), lorsque passe le tigre, on sent l'odeur de la chair.

Tel un lion en furie s'agrippant au rocher, ou un cheval assoiffé se précipitant vers la source, ou encore un orage qui s'annonce, imminent, tout chargé de nuages fulgurants, me voici hors de la réalité, hors du monde, me concentrant, libéré... Ce qui est contenu dans le pinceau, mes émotions, mes désirs, et qui font fi de la tradition, ne manquera pas de faire hausser les épaules aux connaisseurs. Ceux-ci s'exclameront : mais ça ne ressemble à rien !

Lorsque je peignais ce tableau, je devenais le fleuve printanier à mesure que je le dessinais. Les fleurs du fleuve s'ouvraient au gré de ma main ; les eaux du fleuve coulaient au rythme de mon être. Dans le haut pavillon surplombant le fleuve, le tableau à la main, je crie le nom de Tzu-mei. A mes cris mêlés de rires, vagues et nuages soudain s'amassent. Déroulant à nouveau le tableau, je m'abîme dans la vision du Divin.

Sans cheveux, ni coiffe, je ne possède non plus de refuge où fuir ce monde. Je deviens l'homme dans le tableau, avec à la main une canne à pêche, au milieu d'eau et de roseaux. Là où, sans limite, Ciel et Terre ne font plus qu'Un. (Tableau x.)

Shih-t'ao a peint inlassablement la nature dans ses aspects les plus variés : montagnes, rivières, pierres, arbres, légumes et fruits, lumières changeantes des saisons, etc. ; mais il convient de signaler l'élément qui avant tout le hante, l'obsède : les fleurs. A travers elles, il marque son désir de rejoindre certaines figures mythiques, et par là, sa nostalgie d'un monde originel. Car la symbolisation des éléments de la nature, telle qu'elle est pratiquée dans la poésie et la peinture chinoises, a pour fonction de permettre à l'homme de trouver un miroir de lui-même et de tendre, en même temps, vers ce quelque chose d'autre qui constitue son mystère. Parmi toutes les fleurs qu'il a peintes (narcisse, pivoine, chrysanthème, orchidée, lotus...), celles qui occupent la place centrale de son imaginaire sont sans doute les fleurs de prunus. Il revient sans cesse à ces fleurs à la fois tendres et passionnées, délicates et tenaces, et qui, poussant en pleine neige, symbolisent aussi la pureté. Elles semblent incarner sa sensibilité frémissante et, plus subtilement encore, sa secrète sensualité. Il s'identifie à ce point à ces fleurs qu'il n'hésite pas à se faire appeler « Ermite aux fleurs de prunus ». On peut dire que l'interrogation constante du peintre sur son identité, voire sur son sexe, trouve en ces fleurs un écho intime. En 1685, à l'âge de quarante-quatre ans, émerveillé par les prunus fleuris dans la campagne enneigée de Nankin, Shih-t'ao peignit un long rouleau et composa, à la même occasion, neuf poèmes intitulés : *Odes aux fleurs de prunus.* Ces poèmes, chargés d'images mythiques et d'allusions personnelles, sont difficiles à rendre dans une autre langue. Nous donnons de deux d'entre eux une traduction presque littérale qui conserve l'ambiguïté des originaux :

> Le Studio couvert de neige parfumée s'ouvre dans la brume. Sans contrainte ni entrave, la vision de l'homme se libère. Deuxième veille, au lever de la lune, les branches frôlent la porte. Se dévoilent quelques perles ; leurs ombres caressent le perron. Hésitant entre siège et lit, le poème tarde à mûrir. Emmitouflé de fourrures, de couvertures, l'homme sombre dans le rêve. Soudain, un son de cloche perce la fumée de l'aube. Désir d'être enfoui au fond de la Gorge fleurie.
> Givre et neige ont beau refroidir ces rameaux ; ils lais-

sent éclater leurs désirs cachés. Troncs noueux branches dressées polis par les ans. Cœur de Vacuité rejoignant l'âge immémorial. Ensorcelé, l'homme confond fer rouillé et chair ardente. Ébloui par mille gemmes jadis tombées du Ciel. Comment donc réprimer les cris qui jaillissent : Homme et Fleur participent de la même Folie !

Shih-t'ao conservera jusqu'à la fin de sa vie sa passion pour les fleurs de prunus. En 1706, à l'âge de soixante-cinq ans, il écrivit :

> Peur de contempler les fleurs dans le miroir des autres. Vie errante, pensée tendue vers l'infini. Que désirer encore entre l'encre desséchée et le pinceau dénudé ? Sur la route interminable, le voyageur se lamente sans cesse... Lorsque le soleil se couche derrière les murailles, se font entendre au loin les cors de chasse. Que ne puis-je entourer de mes bras le prunus fleuri, moi qui ne possède plus rien que mes cheveux blanchis.

La dernière image que nous voudrions garder de l'œuvre de Shih-t'ao est cette scène (tableau XVIII) confuse et pathétique, toute de taches et de points, comme autant de pétales furieusement ouverts ou virevoltant dans l'air ; ou comme des « vagues de pierres » qui emportent tout. Lorsque, chez un peintre, le trait aboutit au point, on touche au mystère de la tentation de la trace éclatée, voire du non-trace. Non-trace ou bien graine de semence, selon la formule du grand peintre moderne Huang Pin-hung : « Chaque point doit être une graine semée qui promet sans cesse de nouvelles éclosions. »
Écoutons, une fois encore, Shih-t'ao :

> Les Anciens, lorsqu'ils dessinaient les feuilles d'arbres et les points qui les émaillent, distinguaient l'encre foncée et l'encre concentrée ; ils proposaient, comme modèles,

les formes d'idéogrammes tels que 分, 个, 一, 品, 么; ou bien les feuilles de platanes, de pins, de mélèzes, de saules; ou encore les feuilles tombantes ou obliques, les feuilles groupées, etc. Tout cela afin de recréer les tonalités et l'aspect frémissant des forêts et des montagnes. Moi, je m'y prends autrement. Pour ce qui est des points, je distingue, selon les saisons, la pluie, la neige, le vent et le soleil. Et selon les circonstances, l'envers, l'endroit, le Yin, le Yang. Car les points sont vivants et d'une infinie variété! Ceux qui sont gorgés d'eau, ou d'encre, mus par un seul souffle; ceux qui sont clos comme un bourgeon ou ramifiés comme tissés de fils ténus; ceux qui sont vastes et vides, secs et insipides; ceux qui hésitent entre encre et non-encre, «blancs volants» comme une fumée; ceux qui offrent l'apparence lisse ou transparente, ou brûlée comme de la laque. Il reste encore deux points (même jeu de mots en chinois) jamais révélés: le point sans Ciel ni Terre qui tombe, fulgurant, en un éclair; le point lumineux, invisible, chargé de mystère au sein de mille rochers et de dix mille grottes. Ah, la vraie Règle n'a point d'Orient fixe; les points se forment au gré du Souffle[1]!

---

1. Ces propos du peintre sont mieux illustrés encore par son célèbre tableau «Dix mille éclaboussures» (Musée de Su-chou, Chine) dont le fulgurant mouvement gestuel préfigure déjà la peinture abstraite moderne.

Bibliographie

A. OUVRAGES EN LANGUES OCCIDENTALES

Acker, W., *Some T'ang and pre-T'ang Texts on Chinese Painting,* Leyde, 1954.
Beurdeley, Michel, *The Chinese Collector Through the Centuries,* Fribourg, Office du Livre.
Bush, Susan, *The Chinese Literati On Painting : Su Shih to Tung Ch'ich'ang,* Harvard Yenching Institute Studies, 1971.
Bussagli, Mario, *Chinese Painting,* Londres, Paul Hamlyn, 1969.
Cahill, James, *Chinese Painting,* Albert Skira, 1960.
– *Hills Beyond a Rive : Chinese Painting of the Yuan Dynasty,* New York, Weatherhill, 1976.
Calvin, Lewis, et Brush Walmsley, Dorothy, *Wang Wei the Painter-Poet,* Tokyo, Charles E. Tuttle Co, 1968.
Cheng, François, *L'Écriture poétique chinoise, suivi d'une Anthologie des poèmes des T'ang,* Paris, Éd. du Seuil, 1977.
Cohn, William, *Peinture chinoise,* Phaidon, 1948.
Contag, Victoria, *Chinesische Landschaften,* Baden-Baden, Wi Klein, 1955.
– *Konfuzianische Bildung und Bildwelt,* Zurich, Artemis Verlag, 1964.
Damisch, Hubert, *La Théorie du nuage,* Paris, Éd. du Seuil, 1972.
Dictionary of Ming Biography, Columbia University Press, 1976.
Elisseeff, Danièle et Vadime, *La Civilisation de la Chine,* Arthaud, 1979.
Fourcade, François, *Le Musée de Pékin,* Éd. Cercle d'Art, 1964.
Franke, Herbert, *Sung Biographies : Painters,* Franz Steiner Verlag, 1976.
Fu, Marilyn et Shen, *Studies in Connoisseurship,* Princeton University Press, 1973.
Granet, Marcel, *La Pensée chinoise,* Paris, Albin Michel, 1968.
Gulik, R. H. Van, *Chinese Pictorial Art,* Rome, Oriental Series XIX, 1958.
Kan, Diana, *The How and Why of Chinese Painting,* New York, Van Nostrand Reinhold Co, 1974.
Larre, Claude, *Tao Te King* de Lao Tsu, Desclée de Brouwer, 1977 (traduction).
Lee, Sherman E., et Wai-ham Ho, *Chinese Art Under the Mongols : the Yuan Dynasty,* Ohio, Cleveland Museum of Art, 1968.
Leymarie, Jean, *Zao Wou-ki,* 1979.

Lin Yu-t'ang, *The Chinese Theory of Art*, Londres, William Heinemann, 1967.

Liou Kia-houai, *Les Œuvres complètes de Tchouang-tseu*, Paris, Gallimard.

Lowton, Thomas, *Chinese Figure Painting*, Washington D. C., Freer Gallery of Art, 1973.

Mareh, B., *Some Technical Terms of Chinese Painting*, Baltimore, 1935.

Matisse, Henri, *Écrits sur la peinture*, Hermann.

The Painting of Tao-chi, catalogue of an exhibition held at the Museum of Art, University of Michigan, 1967.

Petrucci, Raphaël, *Encyclopédie de la peinture chinoise*, Henri Laurens, 1918.

– *Les Peintres chinois*, Henri Laurens.

Pleynet, Marcelin, *Système de la peinture*, Paris, Éd. du Seuil, 1977.

Rowley, George, *Principles of chinese Painting*, Princeton University Press.

Ryckmans, Pierre, *Les « Propos sur la peinture » de Shitao*, Bruxelles, Institut belge des Hautes Études Chinoises, 1970 (traduction et commentaire).

Siren, Oswald, *Histoire de la peinture chinoise*, Paris, Éditions d'art et d'histoire, 1935.

Sullivan, Michael, *The Three Perfections : Chinese Painting Poetry and Calligraphy*, Londres, Thames & Hudson, 1974.

Swann, Peter C., *La Peinture chinoise*, Paris, Gallimard, 1958.

Sze Mai-mai, *The Tao of Painting*, New York, Bollingen Fondation, 1963.

Ts'erstevens, Michèle, *L'art chinois*, Massin, 1969.

Vanderstappen, Harrie A. (editor), *The T. L. Yuan Bibliography of Western Writings on Chinese Art and Archeology*, Mansell, 1975.

Vandier-Nicolas, Nicole, *Art et Sagesse en Chine : Mi Fou*, Paris, PUF, 1963.

Waley, Arthur, *An Introduction to the Study of Chinese Painting*, Londres, Ernest Bonne, 1958.

Wen Fong, *Sung and Yuan Paintings*, New York, Metropolitan Museum of Art, 1973.

Yoshiho Yonezawa et Michiaki Kawakita, *Arts of China*, Tokyo, Kondansha International Ltd, 1970.

B. OUVRAGES CHINOIS

(Nous n'indiquons que les titres mentionnés dans cet ouvrage.)

Chang Yen-Yuan, *Li-tai ming-hua chi*, 历代名画記

Fu Pao-shih, *Shih-t'ao shang-jen nien-p'u*, 石涛上人年谱 (1948).

Hsieh Ho, *Ku-hua pin-lu*, 古画品录 (Pékin, Jen-min mei-shu ch'u-pan-she, 1962.)

Hsüan-ho hua-p'u, 宣和画谱 (Pékin, Jen-min mei-shu ch'u-pan-she 1964.)

Huang Pin-hung, *Hua-yu-lu*, 画语录 (Shangai, Jen-min mei-shu ch'u-pan-she, 1960.)

Kuo Jo-hsü, *T'u hua chien-wen chih,* 图画见闻志 (Shanghai, Jen-min mei-shu ch'u-pan-she, 1964.)

Shih-t'ao, *Ta-ti-tze t'i-hua-shih pa,* 大涤子题画诗跋 (Mei-shu ts'ung-shu III, 10.)

T'ang Hou, *Hua-chien,* 画鑑 (Mei-shu ts'ung-shu III, 2.)

Teng Shih, *Mei-shu ts'ung-shu,* 美術丛书 (Shanghai, Shen-chou kuo-kuang she, 1923.)

Wang Kai, *Chieh-tzu-yuan hua-chuan,* 芥子园画傳 (Shanghai, Shih-chieh shu-chü, 1934.)

Wang-Shih-chen, *Wang-shih shu-hua yuan,* 王氏书画苑 (Shanghai, T'ai-tung t'u-shu-chü, 1922.)

Wei Yuan, *Lao-tzu Pen-i,* 老子本义 (Taipei, Shang-wu yin-shu kuan, 1968.)

Wu Ch'eng-yen, *Chung-kuo hua-lun,* 中国画论 (Taipei, Taiwan Shutien, 1965.)

Yu An-lan, *Hua-lun ts'ung-k'an,* 画论丛刊 (Pékin, Ren-min mei-shu ch'u-pan-she, 1960.)

Yu Chien-hua, *Chung-kuo hua-lun lei-pien,* 中国画论类编 (Pékin, Chung-kuo ku-tien i-shu ch'u-pan-she, 1957.)

Illustrations

Table

Du même auteur

AUX MÊMES ÉDITIONS

L'Écriture poétique chinoise
suivi d'une anthologie
des poèmes des T'ang (608-907)
*1977 ; réédition en 1982
et « Points Essais », n° 332, 1996*

Souffle-Esprit
Textes théoriques chinois sur l'art pictural
1989

CHEZ D'AUTRES ÉDITEURS

L'Espace du rêve
Mille ans de peinture chinoise
Phébus, 1980-1988

Chu Ta (1626-1705)
Le génie du trait
Phébus, 1986, 1999

Échos du silence
Paysage du Québec en mars
*(en collaboration avec Patrick Le Bescont)
Filigranes, 1988*

De l'arbre et du rocher
Fata Morgana, 1989

Entre source et nuage
La poésie chinoise réinventée
Albin Michel, 1990

Quand les pierres font signe
Voix d'encre, 1990-1997

Saisons à vie
Encre marine, 1993

Sagesse millénaire en quelques caractères :
proverbes et maximes chinois
(sous la direction de François Cheng)
Librairie You-Feng, 1997

36 poèmes d'amour
Unes, 1997

Double chant
Encre marine, 1998, 2000

Le Dit de Tianyi
Albin Michel, 1998, Le Livre de Poche, 2001

Shitao : la saveur du monde
Phébus, 1998

Cantos Toscans
Unes, 1999

D'où jaillit le chant : la voie des oiseaux
et des fleurs dans la tradition des Song
Phébus, 2000

Poésie chinoise
Albin Michel, 2000

L'Eternité n'est pas de trop
Albin Michel, 2001

Et le souffle devient signe :
la calligraphie chinoise révélée
L'Iconoclaste, 2001

IMPRESSION : MAME IMPRIMEURS, A TOURS (11-01)
DEPOT LEGAL : MAI 1991. N° 12575-4 (01102266)